## INNE KSIĄŻKI ROWLEYA JEFFERSONA:

Dziennik Rowleya. Zapiski chłopca o złotym sercu

Teraz Rowley. Ahoj, przygodo!

## ALE PRZECZYTAJCIE TEŻ KSIĄŻKI GREGA HEFFLEYA:

Dziennik cwaniaczka • Rodrick rządzi

Szczyt wszystkiego • Ubaw po pachy

Przykra prawda • Biała gorączka

Trzeci do pary • Zezowate szczęście

Droga przez mękę • Stara bieda

Ryzyk-fizyk • No to lecimy

Jak po lodzie • Totalna demolka

Zupełne dno • Krótka piłka

Dziennik cwaniaczka. Zrób to sam!

# Rowley przedstawia:

# STRASZNIE STRASZNE OPOWIEŚCI

Jeff Kinney

Tłumaczenie:
Joanna Wajs

Nasza Księgarnia

First published in the English language in 2021
by Amulet Books, an imprint of ABRAMS, New York.

Original English title: *Rowley Jefferson's Awesome Friendly Spooky Stories*


Book design by Jeff Kinney
Cover design by Jeff Kinney, Marcie Lawrence and Brenda E. Angelilli



Wydawnictwo NASZA KSIĘGARNIA Sp. z o.o.
05-075 Warszawa-Wesoła, ul. Apteczna 6
tel. 22 643 93 89
e-mail: naszaksiegarnia@nk.com.pl
**www.nk.com.pl**

Książkę wydrukowano na papierze Ecco Book Cream 70 g/m² wol. 2,0.

Redaktor prowadząca *Joanna Wajs*
Opieka redakcyjna *Magdalena Korobkiewicz*
Korekta *Joanna Kończak, Zuzanna Laskowska*
Skład, redakcja techniczna *Joanna Piotrowska*

ISBN 978-83-10-13971-9

PRINTED IN POLAND

Wydawnictwo „Nasza Księgarnia", Warszawa 2023
Druk: POZKAL, Inowrocław

# SPIS TREŚCI

# DO CZYTELNIKÓW!

BUU! Przestraszyliście się?

Jeśli tak, to może powinniście odłożyć tę książkę i poszukać jakiejś innej, mniej przerażającej. Jest dużo dobrych książek o szczeniaczkach, jednorożcach i różnych miłych stworzeniach. To historie odpowiednie dla tych z was, którzy nie są jeszcze gotowi na strasznie straszne opowieści.

Jeśli jednak lubicie czytać o szkieletorach, zombiakach i ludzkich głowach, wczołgajcie się pod kołdrę i odwróćcie kartkę.

Aha, jak zrobi się zbyt upiornie, zawsze możecie spać w łóżku rodziców. Tylko nie mówcie mamie i tacie, dlaczego macie stracha. Nie chcę, żeby się na mnie wściekli.

# Przemiana

Żył sobie raz chłopiec o imieniu Rowan i ten Rowan był bardzo szczęśliwy. Miał rodziców, którzy go kochali, i dużo zabawek.

Czasem zabierał swoje zabawki do szkoły i bawił się nimi na przerwie, ale przestał to robić, gdy napadła go banda łobuzów.

Rowan posmutniał, bo uważał, że w byciu dzieckiem najfajniejsze jest właśnie bawienie się zabawkami. No ale jego koledzy z klasy mieli na ten temat inne zdanie i zawsze zgrywali dorosłych.

Pewnego dnia Rowan, który był jeszcze wtedy w szkole, poczuł pod pachą dziwne łaskotanie. Nie wiedział, o co chodzi, więc spytał nauczycielkę, panią Pennington, czy mógłby pójść do toalety.

W toalecie ściągnął koszulkę i zszokowany zobaczył włos, który wyrósł mu na samym środku pachy.

Nie miał pojęcia, co robić, dlatego włożył koszulkę z powrotem i wrócił do klasy. A kiedy usiadł, poczuł, że wszyscy patrzą na niego jakoś inaczej. Nawet nauczycielka.

Gdy wreszcie zadzwonił dzwonek i lekcje się skończyły, Rowan pobiegł do domu. Jego mama trzymała w łazience pęsetkę, a on chciał jak najszybciej wyrwać ten okropny włos.

Lecz kiedy ponownie ściągnął koszulkę, odkrył, że na pęsetkę jest niestety za późno.

Nagle CAŁEGO Rowana zaczęły porastać kłaki. Zanim się obejrzał, był już zupełnie WŁOCHATY.

Wtedy Rowan dostał ataku paniki. Zaczął przetrząsać szafkę pod umywalką w poszukiwaniu czegoś, co mogłoby mu pomóc, i wreszcie na to coś trafił.

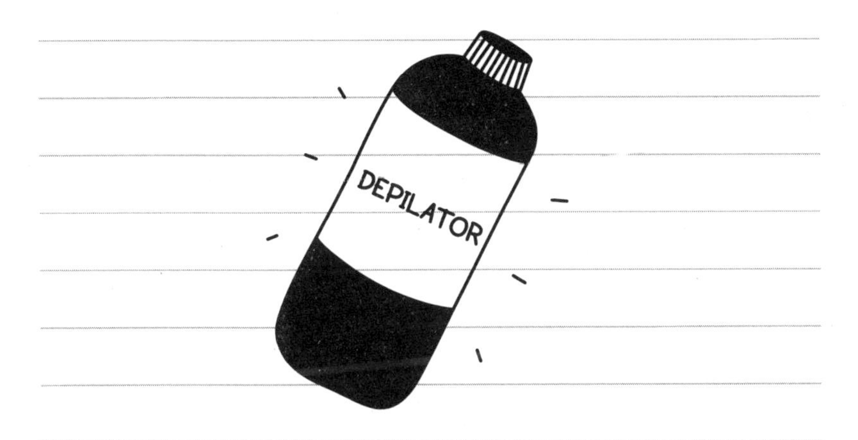


Ale wiecie co? Nie bez powodu dzieciom zabrania się szperać w rzeczach rodziców. Bo gdy Rowan otworzył tę buteleczkę, zatruł się oparami i padł zemdlony na ziemię.

Ocknął się we własnym łóżku. Najpierw pomyślał, że to wszystko tylko mu się przyśniło, ale zerknął na swoją rękę i stracił całą nadzieję.

Wtedy do pokoju weszli jego rodzice. Rowan pomyślał, że będą wściekli, bo wziął bez pytania depilator. Oni jednak nie wyglądali na wściekłych. W sumie wydawali się ZADOWOLENI.

Powiedzieli, że czekali na tę chwilę bardzo długo i że najwyższy czas na ROZMOWĘ.

Rowan przypomniał sobie, że już kiedyś odbyli ROZMOWĘ. Na temat tego, skąd się biorą dzieci. Rodzice jednak oświadczyli, że NOWA ROZMOWA będzie dotyczyć czegoś zupełnie innego.

Wyjaśnili mu, że kiedy dziecko osiąga pewien wiek, jego ciało przechodzi PRZEMIANĘ. A Rowan zrobił smutną minę, bo on wcale nie chciał się zmieniać.

Odniósł wrażenie, że już wie, dokąd zmierza ROZMOWA, dlatego zadał pytanie, które od rana chodziło mu po głowie.

No a wtedy jego rodzice zaczęli się strasznie śmiać. Rowana trochę to speszyło, bo oni śmiali się, śmiali i nie mogli PRZESTAĆ.

W końcu tata otarł z oczu łzy rozbawienia i odparł, że on, Rowan, nadal jest chłopcem, ale WYJĄTKOWYM. A gdy Rowan zapytał, co to znaczy, dostał odpowiedź, która go podłamała.

Biedaczek na pewno nie TEGO się spodziewał. Lecz kiedy jego mama zobaczyła, jaki jest przygnębiony, powiedziała, że to nie powód do smutku, tylko do ŚWIĘTOWANIA.

Rowan usłyszał, że pochodzi ze starej i szacownej wilkołaczej rodziny. I nagle portrety przodków wiszące nad schodami wydały mu się mniej dziwaczne.

Potem jednak rodzice przekazali mu następną ZŁĄ WIADOMOŚĆ. A mianowicie taką, że oni RÓWNIEŻ są wilkołakami.

Rowan zaczął sobie przypominać zdarzenia z przeszłości, które powinny były obudzić w nim podejrzenia. Ale nie obudziły, pewnie dlatego, że nie był gotowy na PRAWDĘ.

I w tym momencie Rowan zaczął płakać. Powiedział, że chce być zwyczajnym dzieckiem i prowadzić normalne życie.

Na co rodzice odrzekli, że wilkołak może prowadzić absolutnie normalne życie, jeśli tylko ukrywa swoją tożsamość i nie zaniedbuje kwestii owłosienia.

Rowan nie chciał ukrywać swojej tożsamości. Zawsze go uczono, że ma pozostać sobą, i właśnie to zamierzał uczynić.

Rodzice jednak ostrzegli go, że na świecie jest dużo niemądrych ludzi, którzy nie akceptują cudzej odmienności.

Rowan nie miał wątpliwości, o jakich ludzi chodzi, bo znał ich osobiście.

I choć nie był pewien, czy chce usłyszeć odpowiedź, musiał o coś zapytać:

Mama i tata wyglądali na lekko zmieszanych. Szybko odpowiedzieli, że to temat na inną ROZMOWĘ.

Rowan jednak domyślił się już odpowiedzi, więc na drugi dzień znów zabrał zabawki do szkoły. I tym razem nikt nie miał odwagi mu dokuczać.

Rodzice Rowana, bardzo dumni z syna, również przestali się ukrywać. Od tej pory rodzina wilkołaków żyła w zgodzie ze swoją prawdziwą naturą, a wszyscy inni – no cóż – musieli się z tym pogodzić.

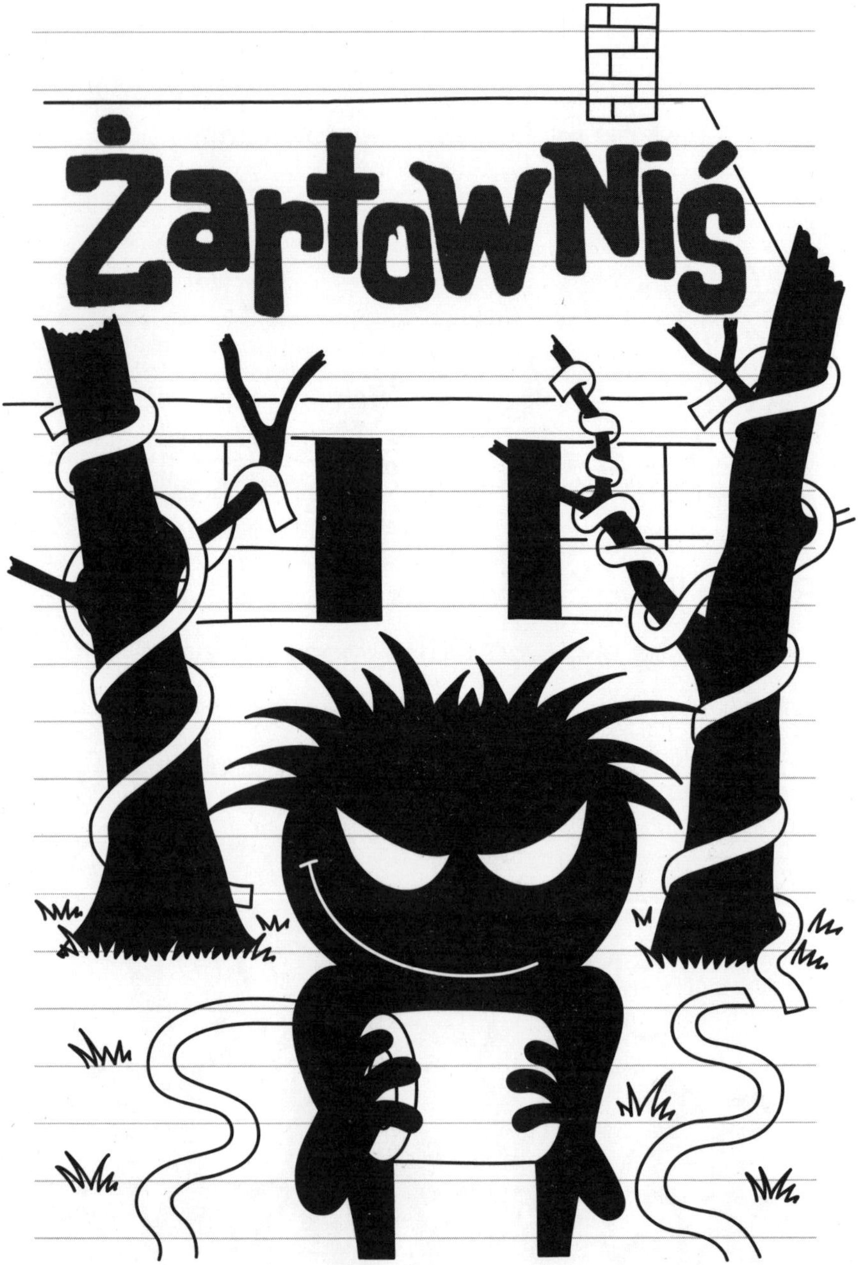

# Żartowniś

W pewnej nadmorskiej wiosce gdzieś w Europie żył sobie niejaki Jasper. Wszyscy mieszkańcy wiedzieli, kto to taki, bo Jasper był wioskowym żartownisiem.

Większość żartów Jaspera zaliczała się do tych niewinnych. Pewnego dnia figlarz zawinął samochód piekarza w papier do pakowania prezentów, a kiedy indziej napełnił popcornem jedyną we wsi budkę telefoniczną.

Jasper robił kawały nawet najbliższym krewnym. Jego matka nigdy mu nie wybaczyła przyklejenia mebli do sufitu.

Ale najbardziej rozsławił go inny żarcik. Gdy zamiast flagi Jasper zawiesił na maszcie kalesony sołtysa, wszyscy uznali, że to bardzo śmieszne. Wszyscy poza SOŁTYSEM.

I tak to właśnie było z żartami Jaspera. Ludzie uważali je za przezabawne... chyba że sami padali ich ofiarą.

Któregoś ranka Jasper się obudził i od razu zadał sobie pytanie, z kogo by tu dziś zażartować. Nie potrafił podjąć decyzji. Czy okręcić papierem toaletowym dom sąsiada, czy raczej napełnić pastą do zębów pączki piekarza?

Doszedł do wniosku, że z papierem byłoby za dużo zamieszania, a już od dawna nie spłatał żadnego psikusa piekarzowi Jorisowi. Dlatego stanęło na pączkach.

Żartowniś wyskoczył z łóżka, przyczesał włosy i ruszył w górę wzgórza do piekarni. Po drodze spotkał kilkoro znajomych.

Pomachał krawcowej Marijke i serowarowi o imieniu Maykel, ale żadne z nich nie odmachało. Wtedy Jasper pomyślał, że nadal są na niego wściekli, bo przed tygodniem wymazał im szyby wystawowe musztardą.

Zdziwił się jednak bardziej, gdy dotarł do piekarni. Jego przyjaciel szewc Dieter właśnie wychodził, lecz gdy Jasper powiedział mu: „Cześć!", nawet się nie odezwał.

Zaraz potem bibliotekarka Marthe przyszła po swoją bagietkę i wyminęła Jaspera bez słowa, jakby go nie zauważyła.

Kiedy Marthe podeszła do lady, Joris zajął się jej zamówieniem, a Jasper skorzystał z nieuwagi piekarza. Wyjął z kieszeni tubkę pasty do zębów i podniósł klosz, pod którym leżały pączki.

A przynajmniej PRÓBOWAŁ to zrobić. Bo kiedy wyciągnął rękę w stronę klosza, ona PRZENIKNĘŁA przez szkło.

Jasper był tak zdezorientowany, że wybiegł na ulicę. Lecz to, co nastąpiło później, zaniepokoiło go jeszcze BARDZIEJ. Gdyż w witrynie sklepu z lustrami nie zobaczył swojego ODBICIA.

Kiedy zrozumiał, że nikt go nie widzi ani nie słyszy, zaczął się okropnie wygłupiać. Ale ludzie przechodzili obok jak gdyby nigdy nic.

Nawet gdy wdarł się do studia jogi na zajęcia dla matek z dziećmi, został potraktowany jak powietrze.

Żartowniś próbował sam siebie przekonać, że spotkało go coś FANTASTYCZNEGO. No bo jeśli był niewidzialny, mógł robić ludziom NIEZIEMSKIE numery.

W tej samej chwili minęło go parę osób. Był wśród nich Bram, najlepszy przyjaciel Jaspera z młodości, a także ich pierwsza nauczycielka, pani van Dijk. Wszyscy mieli na sobie czarne ubrania i wyglądali na bardzo smutnych.

A na końcu procesji Jasper ujrzał pogrążoną w rozpaczy swoją własną matkę.

Ubrani na czarno ludzie zaczęli wchodzić do kościoła, więc Jasper ruszył za nimi. Wiedział, że nikt go nie zobaczy, ale w samych gatkach czuł się nieswojo, dlatego usiadł w ostatniej ławce.

Po chwili zrozumiał, że jest na pogrzebie. Ale przeżył prawdziwy wstrząs, kiedy odkrył, KTO ma zostać pochowany.

Pastor powiedział, że człowiek, który umarł, zginął tragicznie podczas okręcania ogródka sąsiada papierem toaletowym. W biedaka strzelił piorun. No a wy, czytelnicy, już pewnie się domyślacie, że tym biedakiem był JASPER.

W ten oto sposób żartowniś poznał prawdę. Wcale nie był niewidzialny, po prostu był MARTWY. A teraz musiał wysłuchać wszystkiego, co żałobnicy mieli do powiedzenia na jego temat.

Zwykle na pogrzebach mówi się o zmarłym tylko DOBRZE. Ale nie tym razem. Wieśniacy wspominali wyłącznie denerwujące kawały Jaspera.

Wtedy po raz pierwszy Jasper pomyślał, że w swoich żartach czasem posuwał się za daleko. O, jakże by chciał przeżyć życie na nowo i zostać bibliotekarzem, rybakiem albo kimkolwiek innym, byle nie żartownisiem!

Gdy wszyscy się wygadali, przyszła pora na ostatnie pożegnanie. A bardzo wzruszony Jasper zobaczył nad trumną swoją matkę.

Nie miał pojęcia, co wypada, a co nie wypada UMARŁEMU. Więc choć to było nieco dziwaczne, on także ruszył w stronę trumny, żeby się pożegnać.

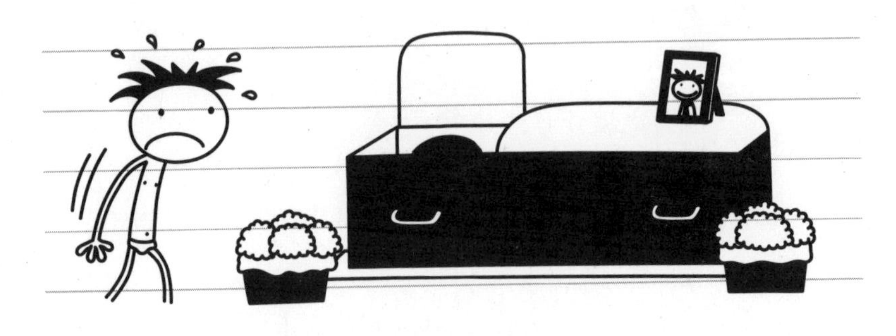

Tylko że w trumnie WCALE nie było ciała.

Była tam dynia z namalowaną twarzą, która trochę przypominała twarz Jaspera.

I nagle żałobnicy wybuchnęli śmiechem. A Jasper zrozumiał, że tak naprawdę wcale nie jest martwy i że to był tylko jeden wielki ŻART.

Ucieszył się, że żyje, choć jednocześnie doprowadzała go do szału myśl, że został przechytrzony.

A poza tym nurtowało go wiele PYTAŃ.

Nie mógł na przykład pojąć, jakim sposobem jego ręka przeszła przez szkło. Wtedy jednak Joris powiedział, że ma bratanka oblatanego w nowych technologiach i że patera z pączkami była hologramem.

A kiedy Jasper zapytał, czemu nie zobaczył swojego odbicia, właściciel sklepu odparł, że zastąpił lustra ekranami telewizyjnymi, które pokazywały pustą ulicę.

Wówczas ludzie ze studia jogi dodali, że gdy Jasper wparował na zajęcia, prawie położyli żart, tak strasznie chciało im się śmiać.

A więc CAŁA społeczność brała udział w zmowie. Jasper, który był dotąd jedynym wioskowym żartownisiem, bardzo przeżywał to, że dał się nabrać.

Oświadczył, że owszem, żart był niezły, choć nie tak dobry jak JEGO kawały.

Wtedy głos zabrał pastor. Powiedział, że tak naprawdę zrobili mu nie jeden, lecz DWA żarty, gdyż dzień wcześniej na wioskę spadł meteoryt i ją UNICESTWIŁ.

Co oznaczało, że WSZYSCY są martwi. I WSZYSCY są duchami.

Jasper po raz drugi tego samego dnia dowiedział się, że nie żyje, lecz nie zrobiło to już na nim większego wrażenia. Zawsze chciał podróżować, a teraz mógł spełnić swoje marzenie, bo duchy świetnie fruwają.

Wdrapał się więc na latarnię morską i skoczył w stronę Paryża.

Wówczas się jednak okazało, że ta historyjka o meteorycie też była WYMYŚLONA. A mieszkańcy wioski pomyśleli, że chyba i oni ŹDZIEBKO przeholowali z żartami.

# DRUH DUCH

Rusty i Gabe od zawsze byli najlepszymi przyjaciółmi. Każdego dnia po szkole bawili się w domu Rusty'ego, a w weekendy oglądali razem mecze swojej ulubionej drużyny piłkarskiej.

Zazwyczaj świetnie się dogadywali, choć od czasu do czasu Gabe robił różne irytujące rzeczy. Rusty wiedział jednak, że nawet najlepsi przyjaciele działają sobie niekiedy na nerwy, więc nie żywił do niego urazy.

Aż pewnego razu Gabe'owi przydarzyło się coś okropnego. Ale nie będę wchodzić w szczegóły, bo są zbyt drastyczne jak na książkę dla dzieci.

Minęło parę miesięcy, lecz Rusty nadal tęsknił za swoim przyjacielem. Zrobiłby wszystko, żeby móc z nim spędzić jeszcze jedno popołudnie, chociaż Gabe nie tak znowu rzadko wyprowadzał go z równowagi.

Niespodziewanie do pokoju wpadł podmuch lodowatego wiatru, a kiedy chłopiec się odwrócił, ujrzał utraconego przyjaciela.

Teraz pewnie sobie mówicie: „No tak, czyli Gabe wcale nie umarł!", ale wiecie co? NIE MACIE RACJI. Bo to nie był człowiek, tylko DUCH.

Gabe wyjaśnił, że wrócił z zaświatów, gdyż wiedział, że Rusty go potrzebuje. A Rusty, który pamiętał, jak często złościł się na Gabe'a, poczuł wyrzuty sumienia.

Wtedy Gabe zaproponował, że zostanie z nim aż do rana, ponieważ duchy nie muszą wracać na noc do domu.

No a Rusty, choć był zadowolony, że jego przyjaciel wrócił, trochę się zaniepokoił, bo następnego dnia miał szkołę i chciał wcześnie pójść spać. Ale nie protestował, żeby duch nie nazwał go mięczakiem.

Zamiast tego odparł, że chyba powinien powiedzieć o wszystkim rodzicom. Gabe jednak stwierdził, że Rusty popsułby całą zabawę i że to będzie ich sekret.

Po czym dodał, że mogą po prostu pograć sobie na konsoli jak w starych dobrych czasach.

I wyciągnął rękę po kontroler, który natychmiast wypadł mu z dłoni.

Okazało się, że duchom każda rzecz przelatuje przez ręce, więc Rusty musiał grać ZA Gabe'a, co nie było jakoś szczególnie fajne.

Po paru godzinach Rusty powiedział, że musi odrobić pracę domową.

Gabe odparł na to, że on NA SZCZĘŚCIE nie odrabia już lekcji, ponieważ nie żyje. A potem dalej gadał i gadał, i gadał, przez co Rusty zupełnie nie mógł się skupić.

Wreszcie Rusty włączył mecz w telewizji, żeby Gabe dał mu chociaż chwilę spokoju. Ale on przez cały czas buczał i nie było nawet wiadomo, czy buczy na drużynę przeciwnika, czy tylko wydaje odgłosy typowe dla duchów.

W końcu Gabe znudził się meczem i zaczął pokazywać Rusty'emu swoje supermoce, takie jak przechodzenie przez ściany. No i to był już koniec odrabiania lekcji.

Rusty się poddał. Zostawił niedokończoną pracę domową i powiedział Gabe'owi, że musi iść spać. Na co Gabe oświadczył, że on się tak nie bawi, bo duchy NIE ZASYPIAJĄ.

Rusty tymczasem pościelił sobie łóżko. Miał nadzieję, że gdy wejdzie pod kołdrę i zgasi światło, Gabe po prostu odfrunie tam, gdzie duchy spędzają noce, ale tamten ciągle do niego mówił.

W dodatku nie chciał mówić o niczym innym, tylko o Kelsey Reed, dziewczynie, w której się podkochiwał.

Rusty jakimś cudem zdołał wreszcie zasnąć. A kiedy otworzył rano oczy, Gabe dalej GADAŁ. I nie przestał GADAĆ także wtedy, gdy Rusty zaczął szykować się do szkoły.

Rusty powiedział Gabe'owi, że się do niego odezwie po powrocie do domu. On jednak oznajmił, że siedzenie w sypialni kumpla przez pół dnia byłoby okropnie nudne, no więc pójdzie Z NIM na zajęcia.

Wkrótce się okazało, że tylko Rusty słyszy i widzi ducha. Gabe nie przestał NAWIJAĆ nawet w drodze do szkoły, za to Rusty prawie wcale się nie odzywał, bo ktoś mógłby jeszcze pomyśleć, że mówi sam do siebie.

Na pierwszej lekcji była przyroda. No i niestety Gabe usiadł za Rustym, ponieważ Marcus Meeks nie przyszedł tego dnia na zajęcia.

Potem pan od hiszpańskiego zrobił kartkówkę. Poprzedniego wieczoru Rusty nawet nie zajrzał do zeszytu, więc wiedział, że ma kłopoty. Ale wtedy odkrył, że przyjaciel duch do czegoś się jednak przydaje.

Nauczyciel sprawdził kartkówki na tej samej lekcji. A kiedy Rusty dostał swoją pracę z powrotem, przypomniał sobie, że Gabe był z hiszpańskiego TRĄBA.

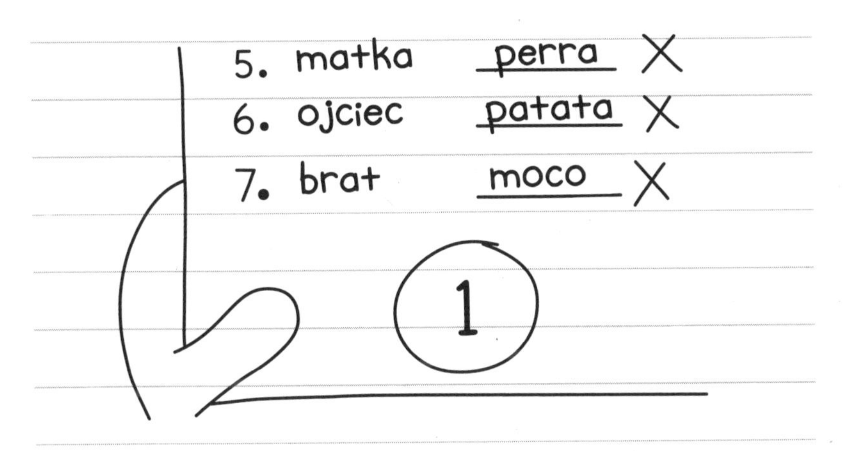


Na przerwie Rusty nie miał siły na grę w piłkę z innymi chłopakami. Postanowił sobie odpocząć, gdy nagle przysiadła się do niego Kelsey Reed.

Zaczęła z nim rozmawiać i było naprawdę miło. Ale kiedy Rusty tylko otwierał usta, Gabe zachowywał się naprawdę nieznośnie.

W drodze do domu Gabe znów paplał WYŁĄCZNIE o Kelsey Reed. I tym razem Rusty nawet nie próbował podtrzymać konwersacji.

Tego wieczoru Rusty zamierzał pouczyć się do testu, ale Gabe na maksa mu to utrudniał.

Rusty był już tak zmęczony i zdenerwowany, że w końcu PUŚCIŁY MU NERWY.

Zarzucił Gabe'owi, że przez niego zawalił hiszpański, i stwierdził, że to trajkotanie na okrągło doprowadza go do szału. Po czym dodał, że może byłoby lepiej, gdyby Gabe WCALE nie wracał.

Ale gdy tylko to powiedział, pożałował każdego słowa, bo widział wyraźnie, że zranił uczucia przyjaciela.

Gabe odparł, że w tej sytuacji chyba przeniesie się z powrotem w zaświaty. A wtedy Rusty'emu łzy stanęły w oczach, ponieważ wiedział, że gdy Gabe odejdzie, on znowu zacznie tęsknić.

Dlatego przeprosił i zapewnił Gabe'a, że wcale go nie wygania.

No więc Gabe został. Tym razem na dobre. Rusty natomiast bardzo opuścił się w nauce i nawet nie próbował pójść na studia, bo zdawał sobie sprawę, że z duchem na karku na pewno ich nie ukończy. Nie zaczął się też umawiać z żadną dziewczyną, ponieważ Gabe to także by zepsuł.

I choć uważał, że miło jest mieć najlepszego przyjaciela na wyciągnięcie ręki, czasem się zastanawiał, czy nie popełnił straszliwego błędu.

# GRYZOŃ

Była raz sobie dziewczynka o imieniu Lilli. I ta Lilli od urodzenia miała jeden cel w życiu. Mlymlać różne rzeczy.

Pewnie teraz mówicie: „Ależ WSZYSTKIE dzieci mlymlają różne rzeczy!". Zapewniam was jednak, że ten dzieciak był INNY.

Musicie wiedzieć, że Lilli nie mlymlała tylko swoich zabawek. Ona mlymlała CO POPADNIE. Aż wreszcie jej rodzice przywykli do tego, że każdy przedmiot w domu jest OBŚLINIONY.

Pediatra powiedziała im, że Lilli ząbkuje i dlatego ciągle potrzebuje coś żuć.

Rodzice w końcu przestali zwracać na to uwagę i dali córeczce spokój. Wtedy jednak Lilli wyrosły NIEPOKOJĄCO ostre mleczaki.

Mama i tata Lilli długo mieli nadzieję, że ich córka wyrośnie z gryzienia, ale to była przegrana sprawa.

Jakiś czas później zaczęli szukać jej koleżanek, lecz wspólna zabawa zawsze kończyła się płaczem.

Kupili też mnóstwo książek o tym, jak odzwyczaić dziecko od gryzienia, jednak nic nie osiągnęli. Także dlatego, że Lilli bardzo lubiła gryźć książki.

Kiedy dziewczynka osiągnęła wiek, w którym idzie się do zerówki, nie miała niestety wielu przyjaciół. Rodzice, pełni złych przeczuć, posłali ją do szkoły, choć gryzący problem pozostał nierozwiązany. Mieli jednak nadzieję, że pani nauczycielka jakoś sobie z nim poradzi.

Tylko że popełnili duży błąd, nie ostrzegając jej przed Lilli.

W ten oto sposób Lilli została odesłana do domu już pierwszego dnia szkoły. Co wcale nie ucieszyło jej rodziców. Oboje pracowali zdalnie i nie mogli przez cały czas mieć córki na oku.

Dlatego zabrali ją jeszcze raz do pediatry, żeby zobaczyć, czy da się zrobić coś więcej. Pani doktor przeprowadziła u Lilli różne badania i kilka dni później zaprosiła rodziców na rozmowę.

Z badań wynikało jasno, że Lilli gryzie, bo jest WAMPIREM. I choć jej rodzicom trudno było pogodzić się z prawdą, obojgu im ulżyło, ponieważ teraz przynajmniej nie żyli w niepewności.

Zresztą lekarka miała dla nich także dobrą wiadomość. Powiedziała, że tylko dorosłe wampiry zarażają wampiryzmem, więc na razie gryzienie Lilli nie jest niebezpieczne. Co najwyżej irytujące.

Rodzice Lilli nie mogli zrozumieć jednego. Jak to możliwe, że urodziła im się wampirka, skoro ŻADNE z nich nie miało tego w genach.

Wtedy jednak mama Lilli przypomniała sobie, że gdy była w ciąży, ugryzł ją nietoperz wampir. I to chyba wyjaśniałoby sprawę.

Rodzice Lilli cieszyli się, że już wiedzą, co dolega ich córce, nadal jednak nie widzieli rozwiązania problemu. Dziewczynka musiała pójść do jakiejś szkoły, tylko który dyrektor przyjąłby gryzonia?

Wtedy pediatra poleciła im placówkę dla dzieciaków podobnych do Lilli. Folder reklamowy robił duże wrażenie, ale rodzice wampirki wiedzieli, że ich na tę szkołę nie stać.

Zapytali więc panią doktor, czy mogłaby jeszcze jakoś pomóc ich dziecku. No a ona napisała list do pierwszej szkoły Lilli. I objaśniła w nim całą złożoność sytuacji.

NISHA SAAD, DR N. MED.

Szanowna Pani Dyrektor,

Lilli jest wampirem, a wampiry muszą gryźć.

I wiecie co? Okazało się, że ta szkoła jest PRZYJAZNA wampirom. Klasę dostosowano do potrzeb młodego krwiopijcy, więc gdy małej zdarzyło się ugryźć nauczycielkę, to nie był już żaden dramat.

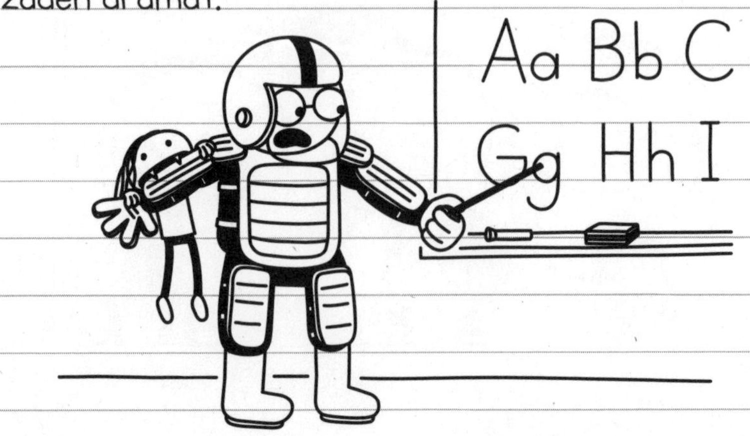

Nawet stołówka zmieniła nieco menu, by Lilli nie czuła się wykluczona.

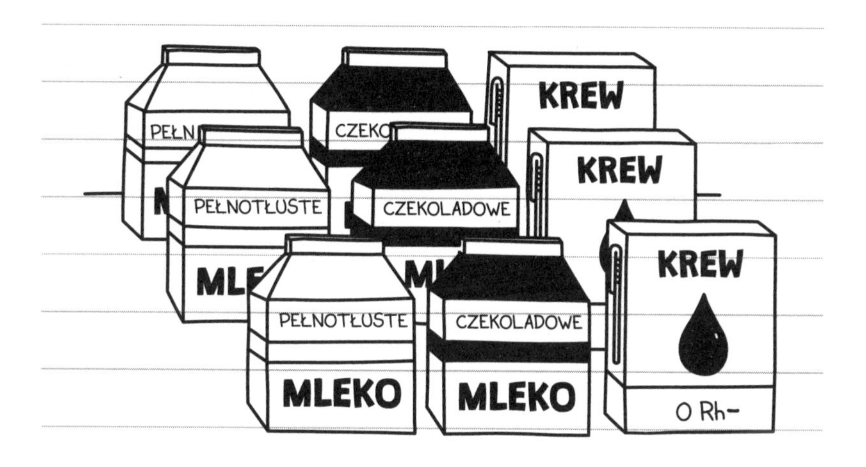


Koledzy z klasy uważali, że wampiry są mega i teraz każdy chciał zostać przyjacielem Lilli. A że dzieci pragnęły się do niej upodobnić, w końcu zaczęły ją NAŚLADOWAĆ.

Wszystko układało się po prostu wspaniale. Lilli miała mnóstwo nowych przyjaciół i nie narzekała na brak towarzystwa.

Ale któregoś dnia pani doktor wezwała jej rodziców z powrotem do gabinetu. Wyjaśniła, że źle zinterpretowała wyniki badań małej i że Lilli jednak nie jest wampirem. Jest tylko niegrzecznym dzieckiem, które lubi gryźć ludzi.

Jeśli sądzicie, że rodzice Lilli zaczęli skakać z radości, jesteście w błędzie.

Bo ona naprawdę świetnie radziła sobie w szkole, a poza tym nie chcieli mieć jej znowu na głowie.

Dlatego zdecydowali, że zachowają wyniki badań wyłącznie dla siebie. A kiedy na przyjęcie urodzinowe ich córki przyszła cała klasa, zrozumieli, że postąpili słusznie.

LUDZKA
GŁOWA

Wszyscy znają opowieść o Jeźdźcu bez Głowy, który przed wielu laty siał postrach w Sennej Kotlinie.

Dam sobie jednak głowę uciąć, że nie znacie historii o Ludzkiej Głowie, która żyła we wsi Elmsford dosłownie parę kilometrów dalej. Nie, nie rzucała w niewinnych ludzi płonącymi dyniami, ale jej historia też jest warta opowiedzenia.

Zacznijmy więc od samego początku. Zanim Ludzka Głowa z Elmsford zdobyła swój przydomek, była dzieciakiem o imieniu Anders.

No i ten Anders był absolutnie zwyczajnym chłopcem, pomijając fakt, że urodził się z samą głową. To jednak nie przeszkadzało mu w robieniu rzeczy, które robili jego rówieśnicy.

Rodzice Andersa bardzo go kochali i ciągle mu powtarzali, że może zostać, kim tylko zechce. A on im wierzył i był szczęśliwy.

W szkole podstawowej Anders miał wielu przyjaciół i był tak popularny, że w piątej klasie został przewodniczącym.

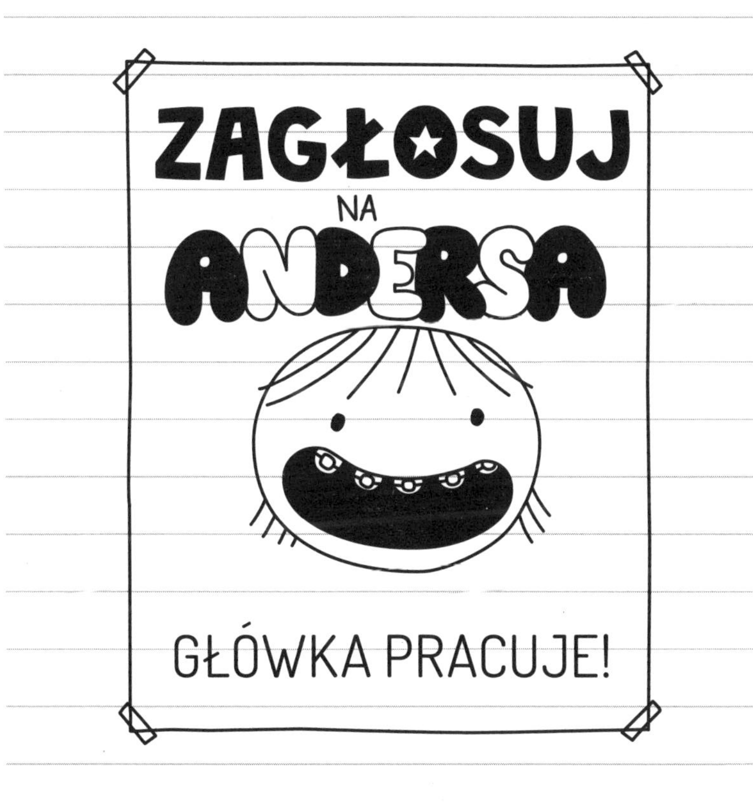


Sytuacja się jednak skomplikowała, gdy zdał do gimnazjum. Jego najbliżsi koledzy albo się przeprowadzili, albo poszli do szkół prywatnych. No i we wrześniu Anders poczuł, że ZACZYNA OD NOWA.

Początek gimnazjum nie jest łatwy dla nikogo. A już szczególnie dla dzieciaka, który wolno rośnie i jeszcze nie wszedł w okres pokwitania.

W podstawówce Anders wszystkie lekcje miał w jednej sali. Ale w gimnazjum nie, więc pierwszego dnia ciągle spóźniał się na zajęcia.

Gdy usłyszał dzwonek na długą przerwę, bardzo się ucieszył, bo potrzebował chwili oddechu, a poza tym mama zapakowała mu do plecaka kanapkę z mortadelą i jego ulubione ciasteczko. Lecz kiedy wreszcie dotarł do stołówki, najlepsze miejsca były już zajęte.

Nagle na drugim końcu sali ujrzał stół, przy którym siedziała tylko JEDNA osoba. A był nią Jeździec bez Głowy.

Pewnie myślicie sobie teraz: „O, nie! Jeździec bez Głowy zrobi mu coś strasznego!". Ale spokojna głowa, bo Jeździec nie był wtedy wcale zły. W ogóle się tak jeszcze nie nazywał i nawet nie umiał jeździć konno.

W tamtym czasie używał swojego prawdziwego imienia, a brzmiało ono Gunther. I tak jak powiedziałem, nie był zły, więc gdy tylko zauważył Andersa, zaprosił go do stołu.

No i w tej samej chwili Anders i Gunther zostali przyjaciółmi.

Guntherowi nie przeszkadzało gadulstwo Andersa, Anders natomiast nie był zniesmaczony tym, że Gunther wrzuca sobie jedzenie do dziury w szyi.

Chłopcy spędzali razem niemal każde popołudnie. Anders pomagał Guntherowi z pracą domową, a Gunther pomagał Andersowi z całą resztą.

Po jesieni przyszła zima, a wraz z nią mnóstwo zabawnych i wzruszających momentów.

Gdy zaczął się luty, w szkole mówiono już tylko o jednym. O potańcówce w Dzień Zakochanych.

Dwaj przyjaciele byli jednak zbyt nieśmiali, aby zaprosić na bal jakieś koleżanki, aż w końcu wszyscy uczniowie mieli już swoją parę.

Gunther i Anders posmutnieli. Było jasne, że ten wieczór spędzą tak samo jak inne. Grając na konsoli.

Coś się jednak wydarzyło na tydzień przed Dniem Zakochanych. I zmieniło ich życie NA ZAWSZE.

Prudence, dziewczynka, która niedawno sprowadziła się z rodzicami do Elmsford, przyszła po raz pierwszy do szkoły. A była taka śliczna, że chłopcom, którzy już mieli swoje walentynki, zrzedły na jej widok miny.

Chociaż i Gunther, i Anders uważali, że Prudence jest urocza, żaden nie miał śmiałości, by zaprosić ją na bal. Wtedy jednak Anders wpadł na pewien pomysł.

Stwierdził, że może powinni połączyć siły i spróbować przekonać Prudence, by poszła na bal z nimi OBOMA. A po wielu godzinach ćwiczeń przed lustrem dwaj przyjaciele poczuli, że to MOŻE SIĘ UDAĆ.

Następnego dnia kupili bukiet kwiatów i zdobyli się na odwagę, by zaprosić Prudence na bal. No i wyobraźcie sobie, że ona powiedziała: „Tak".

W wieczór walentynkowy Anders polał się wodą kolońską swojego taty, żeby ładnie pachnieć. A rodzice Gunthera załatwili mu w wypożyczalni kostiumów szałową pelerynę.

Dlatego gdy chłopcy stanęli przed domem Prudence, naprawdę robili wrażenie.

Wszyscy troje ruszyli w stronę szkoły. Nie wiedzieli, czego się spodziewać, bo żadne z nich nie było dotąd na prawdziwym balu.

Ale Komitet Organizacyjny zrobił dobrą robotę, ponieważ szkolna stołówka wyglądała po prostu WYSTRZAŁOWO.

Anders, Gunther i Prudence postali chwilę przy bufecie. Anders opowiedział parę dowcipów, które wcześniej przećwiczył. A kiedy Prudence się zaśmiała, poczuł, że świat nie może być piękniejszy.

Gdy ktoś podkręcił muzykę, żaden dzieciak nie chciał wyjść na parkiet jako pierwszy. I wtem ku osłupieniu zgromadzonych Gunther ZABŁYSNĄŁ.

Wyszło na jaw, że jest świetnym tancerzem. A nikt nie cieszył się z tego bardziej niż ANDERS.

To wystarczyło, aby pozostali TEŻ poczuli się pewniej. I w parę chwil impreza na maksa się rozkręciła.

Kiedy Anders i Gunther zaczęli tańczyć kongę, porwali do tańca calutką salę. Tylko że Anders niestety nie patrzył pod nogi, co doprowadziło do nieszczęścia.

Prudence trochę się zezłościła, bo do tej chwili myślała, że Gunther i Anders są jednym chłopakiem.

Nie spodobało jej się, że nie byli z nią szczerzy. Wtedy jednak Anders przeprosił w imieniu ich obu, ona im wybaczyła, a gdy z głośników popłynął wolny, Gunther poprosił ją do tańca.

Choć Anders miał znakomitą miejscówkę tuż obok półmiska z ciastkami, nie można powiedzieć, żeby przez resztę wieczoru doskonale się bawił.

Od tamtej chwili między Andersem a Guntherem coś zaczęło się psuć. Obaj chłopcy bardzo polubili Prudence i robili wszystko, by zwrócić jej uwagę.

A Prudence każdego z nich lubiła za co innego. W piątki jeździła na rolkach z Guntherem, a w soboty chodziła z Andersem do muzeum albo na ambitne europejskie kino.

Anders uwielbiał towarzystwo Prudence, lecz jeszcze bardziej tęsknił za towarzystwem swojego przyjaciela. Dlatego pewnego dnia powiedział mu w stołówce, że jeśli Gunther jest zakochany, on nie stanie na drodze jego szczęściu.

Tego wieczoru Gunther zapukał do drzwi Prudence z kwiatami, aby wyznać jej miłość. Ona jednak oświadczyła, że kocha kogoś innego, i Gunther odszedł ze złamanym sercem.

A wy pewnie już wiecie, kogo wybrała Prudence.

Gunther nigdy się otrząsnął po zawodzie miłosnym. A kiedy dorósł, został owym słynnym Jeźdźcem bez Głowy, który gonił i straszył zakochane pary – w Dzień Świętego Walentego, a nie w Halloween, jak powszechnie się sądzi.

Wierzcie lub nie, ale Prudence i Anders chodzili ze sobą aż do końca liceum. Potem wyjechali na studia do dwóch różnych stanów, lecz po ostatnich egzaminach ponownie się zeszli.

Anders skończył księgowość, a Prudence weterynarię. Wzięli ślub i zostali w Elmsford, gdzie założyli rodzinę. I choć nigdy nie trafili na pierwsze strony gazet jak ich sławny kolega, to stali się filarami swojej społeczności.

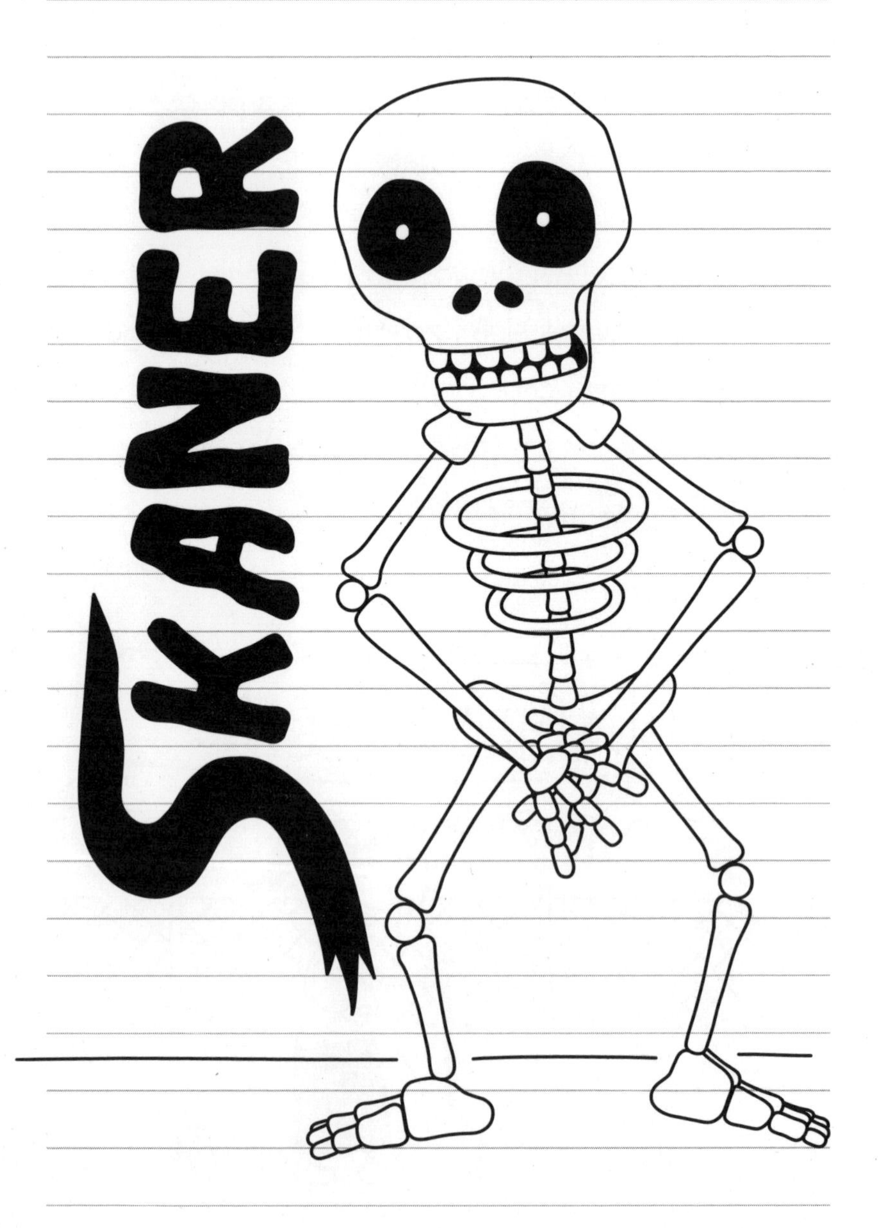
SKANER

To był wielki dzień na międzynarodowym lotnisku. Po raz pierwszy uruchomiono prawdziwy cud techniki: skaner ciała. Nowe urządzenie miało prześwietlać mnóstwo ludzi jednocześnie i bardzo skrócić kolejki, więc wszyscy byli podekscytowani.

Pasażerowie wiedzieli, że to epokowe wydarzenie, dlatego wiele osób ustawiło się przed skanerem z nadzieją, że wyprzedzą pozostałych.

Ale uczeni, którzy stworzyli ten wynalazek, pracowali pod presją czasu i nie zdążyli przetestować maszyny.

No więc zrobiła się niezła afera, kiedy pierwsi podróżni opuścili komorę i odkryli, że są SZKIELETAMI.

Teraz pewnie sobie myślicie: „Ojej, jakie to smutne, że tylu ludzi umarło". Ale niepotrzebnie, bo oni jakimś cudem PRZEŻYLI. A uczeni, którzy wynaleźli maszynę, nie mogli zrozumieć, JAK to w ogóle możliwe.

Ludzie, którzy zostali szkieletami, najpierw się zdenerwowali.

Chociaż trochę im przeszło, gdy zrozumieli, że nagle stali się sławni.

A potem sobie uświadomili, że jako szkielety nie muszą wydawać kasy na kremy do twarzy, tusze do rzęs, szminki, ciuchy i inne takie. No i teraz to już KAŻDY chciał przejść przez skaner, więc na drugi dzień lotnisko obległy DZIKIE tłumy.

Zresztą życie szkieletora miało jeszcze WIĘCEJ zalet.

Na przykład ludzie spali dłużej, bo nie musieli chodzić rano pod prysznic. A że nie mieli żołądków, wstawali JESZCZE później, bo nie jedli też śniadań.

A że nie mieli mięśni, nie musieli się gimnastykować. No a gdy któryś złamał nogę, taśma klejąca załatwiała sprawę.

Mnóstwo irytujących rzeczy przeszło do historii. Chociażby pryszcze, kurzajki, obtarcia na kolanach i skołtunione włosy zaraz po przebudzeniu. Za to emoji stały się dużo prostsze.

Świetną sprawą było też to, że wszyscy mogli korzystać ze wspólnych łazienek, bo żaden szkielet nie potrzebował już prywatności.

Szkieletory wyglądały tak samo, więc były dla siebie miłe. W ogóle im więcej ludzi przeszło przez skaner, tym lepiej działo się na świecie.

Wkrótce jednak wyszły na jaw rzeczy, które były MNIEJ fajne. Na przykład różne firmy upadły, gdyż stały się nieprzydatne.

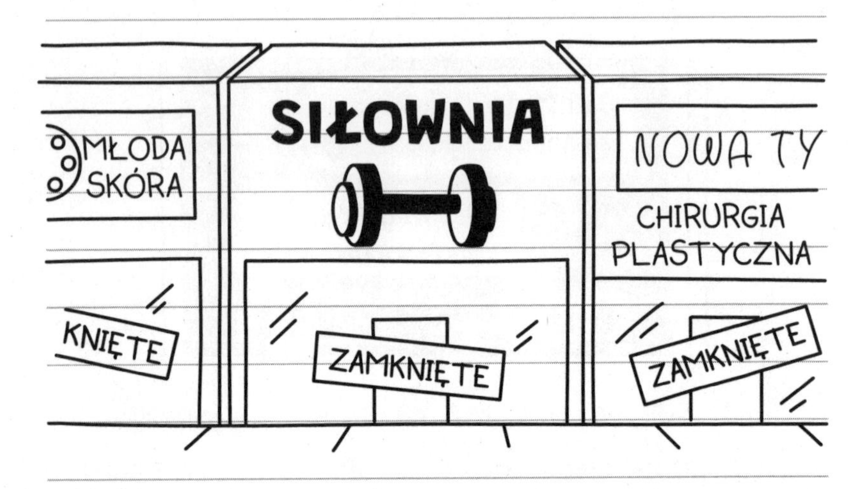


W Halloween wiało nudą, ponieważ każdy przebierał się za to samo.

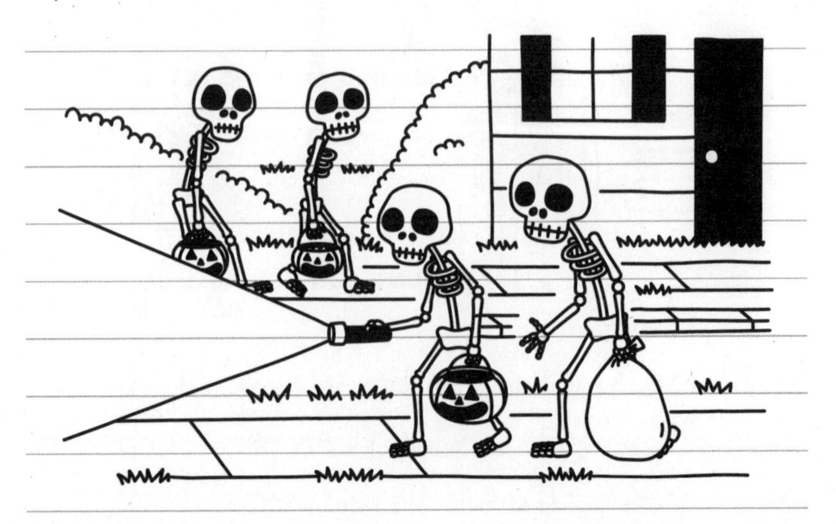

Rodzice zaczęli odbierać z przedszkola cudze dzieci i robiła się draka za draką.

I choć to było super, że wszyscy wyglądali tak samo, ludzie tęsknili za czasami, w których się od siebie różnili.

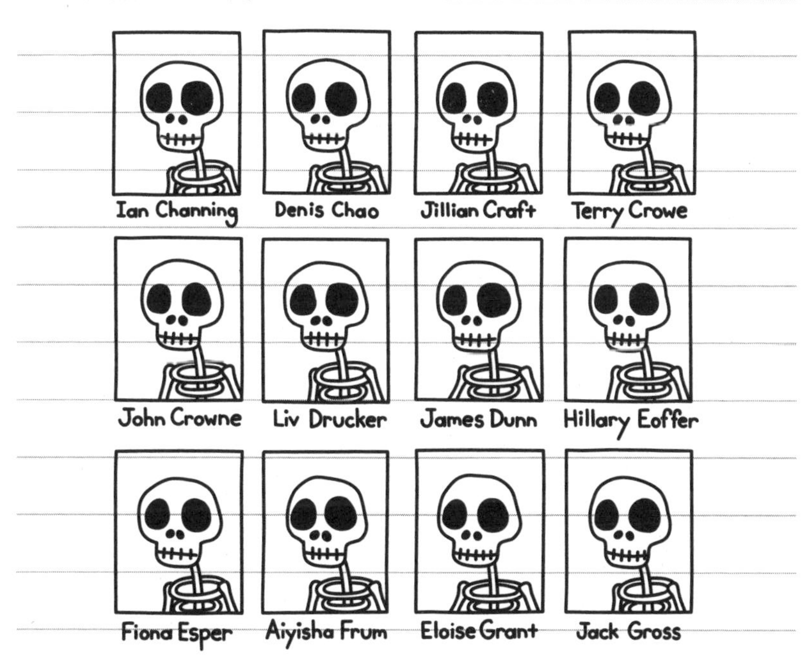

Zresztą tęsknili też za WIELOMA innymi rzeczami. Na przykład za tym, że kiedyś mieli gałki oczne i usta. I za tym, że kiedyś byli mniej lodowaci w dotyku. Aż w końcu zrozumieli, że popełnili błąd, i chcieli to ODKRĘCIĆ.

Ale uczeni, którzy zbudowali skaner, nigdy nie odkryli, co się właściwie wydarzyło. Dlatego nie mieli pojęcia, jak przywrócić ludziom ich POPRZEDNIĄ postać.

No a szkielety ROZWŚCIECZYŁO to jak nie wiem, więc pewnej zimowej nocy przypuściły szturm na lotnisko.

Wytaszczyły skaner na śnieg i strąciły go w najbliższą przepaść, gdzie maszyna wybuchła.

A wtedy nastąpiło coś pokręconego. Każdy szkielet odzyskał swoje dawne ciało, tyle że bez ubrania. I choć wszystkie golasy były zadowolone, trochę żałowały, że przeprowadziły tę operację podczas największych mrozów.

PIWNICA

Dawno temu żył sobie chłopiec o imieniu Rafe i ten Rafe był bardzo szczęśliwy. On i jego rodzice mieszkali w lepiance z gliny i ze słomy i choć nie mieli zbyt wiele, cieszyli się, że mają siebie.

Mama i tata Rafe'a byli bardzo dumni ze swojego syna. Chłopak rósł im silny i zdrowy i nigdy nie narzekał, że musi przerzucić widłami kurze łajno.

Codziennie rano wstawał razem z kurami i chodził spać o zachodzie słońca. A w niektóre wieczory rodzice dawali mu świeczkę, żeby mógł sobie przed snem poczytać.

Jeśli książka mu się podobała, Rafe czytał JESZCZE DŁUŻEJ pod kołdrą. Ale w tamtych czasach to było dosyć ryzykowne.

Rafe najbardziej lubił książki o dzieciach, bo brakowało mu przyjaciół. Powiedzmy to zresztą wprost: Rafe nigdy nie spotkał ŻADNEGO człowieka poza mamą i tatą.

Czasem prosił rodziców, żeby zabrali go na wycieczkę w jakieś miejsce, gdzie będą inni ludzie, ale mama i tata odpowiadali, że taka podróż byłaby niebezpieczna. I pokazywali mu dlaczego.

W końcu Rafe zaczął sobie lepić towarzyszy zabaw z gliny i ze słomy. Byli w porządku, choć on oczywiście wolałby coś żywego.

Pewnej nocy, gdy skończył czytać, poszedł do kuchni po szklankę wody. I nagle dobiegły go dziwne dźwięki, niepodobne do niczego, co kiedykolwiek słyszał.

Te odgłosy dochodziły z piwnicy. Rafe był bardzo zaintrygowany, ale rodzice powiedzieli mu kiedyś, że nigdy, przenigdy, nie wolno mu tam zaglądać.

Następnego ranka przy śniadaniu opisał mamie i tacie tajemnicze dźwięki.

Rodzice jednak odparli, że te odgłosy nie mają żadnego sensu, więc może Rafe'owi to się tylko przyśniło.

On natomiast chciał spytać, co właściwie znajduje się w piwnicy, i dlaczego tata siedzi tam od poniedziałku do piątku od dziewiątej rano do piątej po południu. Ale jego rodzice nie lubili poruszać tego tematu.

Lata mijały. Rafe nigdy więcej nie usłyszał tajemniczych dźwięków.

Miał już osiemnaście lat i był prawie tak wysoki jak tata. Rodzice zrozumieli, że ich chłopczyk stał się mężczyzną, i oznajmili, że wyjawią mu prawdę o świecie, z którego pochodzą.

Opowiedzieli synowi o „samochodach", „samolotach", „nowoczesnej medycynie" i innych rzeczach, od których Rafe'owi aż zakręciło się w głowie.

A potem dodali, że ten świat był na swój sposób niesamowity, lecz także przerażający. Istniały w nim bowiem świecące przedmioty zwane „ekranami", które zawładnęły ludzkością.

Kiedy Rafe się urodził, mama i tata nie chcieli, by i on dostał się pod władzę ekranów. Dlatego postanowili opuścić cywilizowany świat.

Nagle dla Rafe'a wszystko stało się jasne. Jego rodzice byli PODRÓŻNIKAMI W CZASIE. Chcieli go chronić i dlatego przenieśli się do zamierzchłej przeszłości. Bo wtedy życie było prostsze.

Gdy jednak wspomniał o tym mamie i tacie, oni zaczęli się śmiać i wyprowadzili go z błędu.

Wyjaśnili mu, że opuścili cywilizację w całkiem zwyczajny sposób, to znaczy wyjechali z miasta i tylko UDAWALI, że żyją w średniowieczu.

Wtedy tata Rafe'a powiedział, że musi mu coś pokazać. Coś, z czym długo zwlekał.

Otworzył drzwi do piwnicy i razem z synem zszedł na dół. A tam Rafe ujrzał prawdziwe cuda: komputer, drukarkę i bajeranckie krzesło obrotowe.

Okazało się, że tata pracuje przez internet. A Rafe poznał jego kolegów.

Niespodziewanie Rafe'owi zrobiło się słabo, więc zapytał, czy może usiąść. I wiecie co? Krzesło komputerowe jego taty było DUŻO wygodniejsze niż stołki z surowego drewna.

Rodzice Rafe'a zdali sobie sprawę, że ich syn nie jest szczęśliwy. Oszukiwali chłopca aż do teraz i nagle poczuli wyrzuty sumienia. Doszli do wniosku, że może trochę przesadzili, chroniąc go przed nowoczesnością.

Wtedy tata Rafe'a wpadł na pomysł, jak mu to wynagrodzić. Powiedział synowi, że skoro jest już dorosły, powinien coś od nich dostać. Po czym wręczył Rafe'owi jego pierwszy telefon.

Zresztą było więcej tajemnic, które zdradzili mu rodzice. Mama i tata przyznali, że ich chatka nie jest otoczona przez rekiny, wilki i węże, a od dużego miasta dzieli ją zaledwie kilka kilometrów. Dodali też, że już czas, aby Rafe stał się częścią nowoczesnego świata, znalazł sobie pracę i założył własną rodzinę.

Teraz jednak, gdy Rafe miał telefon, nie potrzebował niczego więcej i nie widział powodu, by kiedykolwiek opuścić dom rodziców. A jego mama i tata zrozumieli, jak bardzo się pomylili.

DRZEM-
KA
ZZZZ.

Była raz starsza pani, która mieszkała na osiedlu dla emerytów i miała na imię Frances. Ale wszyscy członkowie rodziny nazywali ją babcią cioteczną Fannie. Albo po prostu Fannie.

Skoro już mowa o rodzinie, to Fannie nie miała dzieci, tylko całe mnóstwo siostrzenic i siostrzeńców, a także ciotecznych wnuczek i wnuczków. Nikt jednak nigdy jej nie odwiedzał. Wszyscy byli zbyt pochłonięci swoim własnym życiem.

Mieszkanko Fannie było małe, ale telewizor duży. Starsza pani potrzebowała takiego odbiornika, bo z wiekiem pogorszył jej się wzrok. A naprawdę szczęśliwa była tylko wtedy, gdy oglądała opery mydlane.

Każdy jej dzień przypominał poprzedni. Fannie patrzyła w ekran tak długo, aż zapadała w drzemkę w swoim wygodnym fotelu. Po przebudzeniu robiła sobie kanapkę i oglądała jeszcze więcej oper mydlanych. A potem zaczynały się wiadomości.

Któregoś dnia zobaczyła w TV reklamę pewnego produktu. I pomyślała, że ten przedmiot bardzo by jej się przydał.

Było to urządzenie z guziczkiem, który należało wcisnąć, gdy człowiek potrzebował pomocy.

Fannie doszła do wniosku, że jako osoba samotna powinna sobie sprawić takie urządzonko. Dlatego zadzwoniła pod numer podany w reklamie i złożyła zamówienie.

Po raz pierwszy przeznaczyła pieniądze na coś podobnego. Dotąd wydawała je głównie wtedy, gdy jej krewni mieli urodziny.

I choć zawsze na czas wysyłała kartki urodzinowe z dołączonymi czekami, nikt nigdy Fannie nie dziękował. Z wyjątkiem Amber, jej sześcioletniej wnuczki, bo jedynie ona w całej tej rodzinie nie była rozpuszczonym bachorem.

Soboty i niedziele Fannie spędzała trochę inaczej, ponieważ w te dni nie było oper mydlanych. Jadła wówczas naprawdę duży obiad, a potem ucinała sobie dłuższą drzemkę niż zwykle.

Którejś soboty mieszkańców miasta ogarnęła ekscytacja, gdyż właśnie wtedy miał się odbyć Bardzo Ważny Mecz.

Bilety dawno zostały wyprzedane i większość ludzi musiała oglądać rozgrywkę w telewizji.

Nikt z krewnych Fannie nie miał dużego telewizora. Za to wszyscy oni wiedzieli, kto taki telewizor MA. Dlatego na parę godzin przed Bardzo Ważnym Meczem Gary Łapserdak i inni mężczyźni z rodziny wcisnęli się do pikapa i pojechali na osiedle dla emerytów.

Gdy zapukali do drzwi Fannie, nikt im nie otworzył. Wtedy jednak Mały Dougie nacisnął klamkę i było po kłopocie.

Cioteczna babcia Fannie spała w fotelu przed telewizorem. Głowa opadała jej na pierś, więc Gary i pozostali myśleli, że UMARŁA.

Zrobiło im się przykro. Po pierwsze dlatego, że Fannie była ich najstarszą krewną, a po drugie dlatego, że nigdy się nie spóźniała z kasą urodzinową. Nie mieli jednak dużo czasu na rozpacz, bo już niebawem miał się zacząć Bardzo Ważny Mecz.

Gary wykonał parę telefonów i znalazł zakład pogrzebowy, który mógł załatwić tę sprawę od ręki.

A że grabarze też chcieli zdążyć na transmisję, to po krótkiej modlitwie nad grobem wszyscy od razu się zmyli.

Pewnie teraz myślicie: „Ojej! Biedna staruszka została pochowana żywcem!". Ale chyba zapomnieliście o tym małym urządzonku, które sprawiła sobie Fannie. Bo gdy starsza pani ocknęła się ze snu, po prostu wcisnęła guzik i wezwała pomoc.

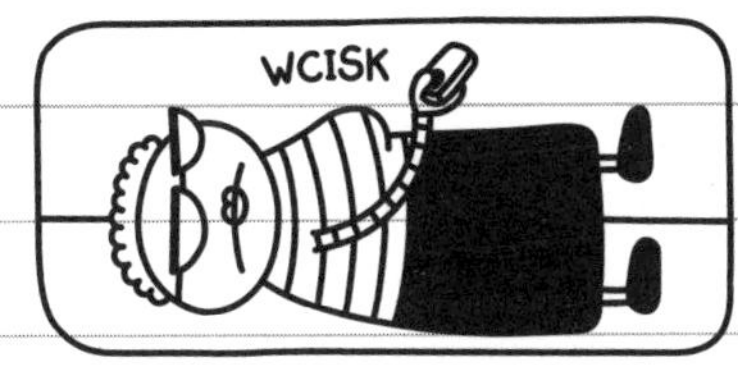

Urządzonko zadziałało tak, jak zapewniał producent, i pomoc nadeszła błyskawicznie. No i na szczęście ci ratownicy od razu zrozumieli, co zaszło.

Nie tylko odkopali Fannie, lecz także odwieźli ją z powrotem na osiedle dla emerytów.

A kiedy starsza pani otworzyła drzwi swojego mieszkanka, przeżyła niemałe zaskoczenie.

Gary Łapserdak i reszta ucieszyli się, że widzą babcię w dobrym zdrowiu, chociaż wolno kojarzyli fakty, bo Bardzo Ważny Mecz już się zaczął i walka była zacięta. A ponieważ Gary nie chciał oddać fotela przed telewizorem, Fannie musiała usiąść z pozostałymi kibicami na kanapie.

Gdy Bardzo Ważny Mecz dobiegł końca, goście zapewnili Fannie, że są szczęśliwi z powodu jej niespodziewanego powrotu z zaświatów, ale zaraz potem pojechali do domu i zostawili okropny bałagan.

Minęło trochę czasu. Życie znów płynęło jak przedtem. Chociaż Fannie wkładała teraz do kopert czeki na nieco niższe sumy.

Zamykała też drzwi na zasuwkę, gdy miała zamiar uciąć sobie drzemkę w fotelu.

A chcąc mieć PEWNOŚĆ, że nikt jej znowu nie pochowa żywcem, przecięła na pół piłeczkę pingpongową i narysowała na każdej połówce dużą kropkę. Odtąd jej oczy zawsze wydawały się otwarte. Nawet kiedy spała.

Kilka miesięcy później Amber odkryła, co spotkało Fannie w dniu Bardzo Ważnego Meczu, i poczuła wyrzuty sumienia. No więc pojechała do babci w odwiedziny.

Fannie i Amber upiekły razem ciasteczka i miały z tym mnóstwo zabawy. A potem sobie obiecały, że wkrótce zobaczą się ponownie.

Od tej pory Amber pilnowała, aby babcię zapraszano na zjazdy rodzinne. I wiecie co? Niektóre z tych chwil były najszczęśliwsze w całym życiu Fannie.

Ku wielkiej radości staruszki rodzina Gary'ego Łapserdaka zaprosiła ją nawet na wspólne wakacje.

A więc ta historia ma szczęśliwe zakończenie, ponieważ wstrętni krewni Fannie w końcu się poprawili. Co nastąpiło dzięki dobremu sercu pewnej sześcioletniej dziewczynki.

Tylko że ta historia ma także nieszczęśliwe zakończenie, ponieważ gdy tylko wakacje się zaczęły, cioteczna babcia Fannie wyzionęła ducha. Co odkryto dopiero cztery dni po fakcie.

PLAMA

Pewnej soboty rodzice zapytali, czy Robbie chce pojechać do galerii handlowej. Robbie strasznie się ucieszył, bo jeździli tam bardzo rzadko. W samochodzie myślał jedynie o tym, jak świetnie będzie się bawił.

Ale rodzice Robbiego nie pojechali do galerii, żeby się bawić, tylko na ZAKUPY. A w dodatku wchodzili do sklepów, które interesują wyłącznie dorosłych.

Zauważyli jednak, że ich syn się nudzi, więc wręczyli mu pięć dolarów na lody. Tata dodał, że to wystarczy na DWA rożki, i poprosił, by Robbie kupił jeden także dla niego.

Robbie był dumny z tego, że rodzice mu zaufali, i zapewnił ich, że zaraz wróci.

Targały nim wielkie emocje. Chociaż lodziarnia znajdowała się zaledwie parę sklepów dalej, po raz pierwszy miał wejść samotnie w tłum obcych ludzi.

Robbie opuścił Krainę Świeczek i ruszył zatłoczoną alejką. Mocno ściskał w dłoni pieniądze, żeby ich nie upuścić.

Nagle zobaczył swój ulubiony automat. Rakietę kosmiczną, która jeździła do tyłu i do przodu. Ale sam siebie upomniał, że jest już za duży na takie zabawy, i jeszcze mocniej ścisnął w dłoni pięć dolarów, bo nie chciał ich wydać na głupstwa.

Gdy w końcu dotarł do lodziarni, był z siebie ogromnie zadowolony. Potem jednak stanął przed ladą sklepową i poczuł, że nie potrafi się zdecydować, tak dużo tam mieli smaków.

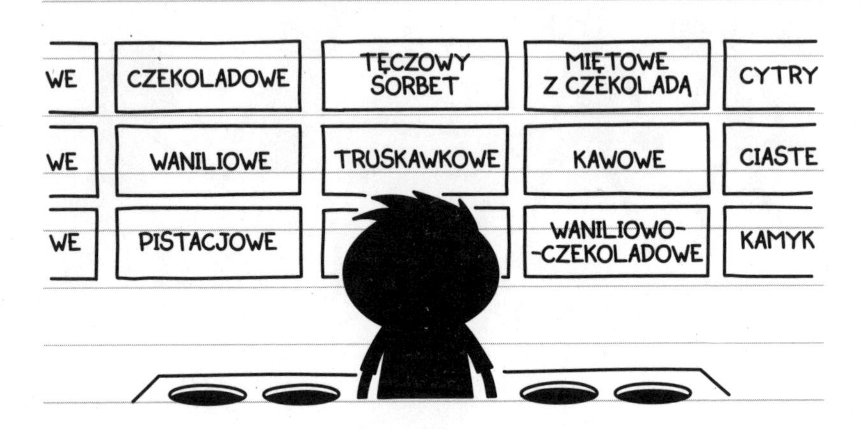


Robbie najbardziej lubił lody truskawkowe i kamykowe, czyli mocno czekoladowe z piankami, ciasteczkami i migdałami. Dla siebie wziął te drugie, a dla taty te pierwsze, bo zakładał, że ojciec się z nim podzieli.

Wracając do sklepu ze świeczkami, znów zobaczył rakietę kosmiczną. Wystarczyłoby mu drobniaków na jedną przejażdżkę, ale chciał pokazać rodzicom, że jest odpowiedzialnym chłopcem, który przynosi całą resztę.

Dlatego zamknął oczy, przechodząc obok rakiety. To jednak nie był dobry pomysł, bo nagle się potknął i lody kamykowe wylądowały na ziemi.

Tak go to zdenerwowało, że prawie się popłakał. Próbował zebrać lody z powrotem do wafelka, ale bezskutecznie.

Robbie posprzątał rozpaćkane lody, po czym wrócił do sklepu, w którym zostawił rodziców. Truskawkowe już się rozpuszczały, on jednak nadal miał nadzieję, że tata się z nim podzieli.

I wtedy przyszedł mu do głowy pewien pomysł. Pierwszy PASKUDNY pomysł w całym jego życiu.

Postanowił powiedzieć, że lody truskawkowe kupił DLA SIEBIE, a te, które upuścił, DLA TATY. Po czym sam się siebie przeraził, bo nigdy wcześniej nie skłamał.

Mówiąc rodzicom nieprawdę, ze zdenerwowania znów niemal się popłakał. A kiedy oni uwierzyli w każde jego słowo, poczuł się OKROPNIE.

Ojciec Robbiego oświadczył, że nic się nie stało, bo on i tak nie ma ochoty na lody. I wtedy Robbie poczuł się jeszcze GORZEJ, ponieważ wiedział, że tata po prostu chce być dla niego miły.

Miał takie wyrzuty sumienia, że jadąc do domu, prawie nie czuł smaku truskawek.

Kiedy powlókł się do swojego pokoju, nagle rozbolał go brzuch. I nie potrafił powiedzieć, czy to słodycze mu zaszkodziły, czy może KŁAMSTWO.

A wtedy dostrzegł małą różową plamkę na swoim śnieżnobiałym T-shircie i zrozumiał, że lody truskawkowe kapnęły mu na koszulkę.

Wiedział, że mama i tata nie będą zadowoleni, gdy zobaczą plamę. Pobiegł więc do łazienki i zaczął ją wycierać.

Ona jednak z chwili na chwilę robiła się WIĘKSZA.

Robbie ściągnął T-shirt, żeby namydlić plamę w umywalce. Lecz kiedy porządnie wyszorował ją mydłem, odkrył, że plama wciąż rośnie i jest już MONSTRUALNA.

W tym momencie Robbie zaczął ŚWIROWAĆ ze strachu. A gdy mama przyniosła mu gorące mleko do wypicia przed snem, w ogóle nie otworzył jej drzwi. Poczekał, aż sobie pójdzie.

Sprawdził, czy teren jest czysty, po czym zbiegł do piwnicy, gdzie rodzice trzymali pralkę. Wrzucił koszulkę do bębna i ustawił pokrętło na najwyższy program, bo musiał mieć pewność, że pozbędzie się plamy.

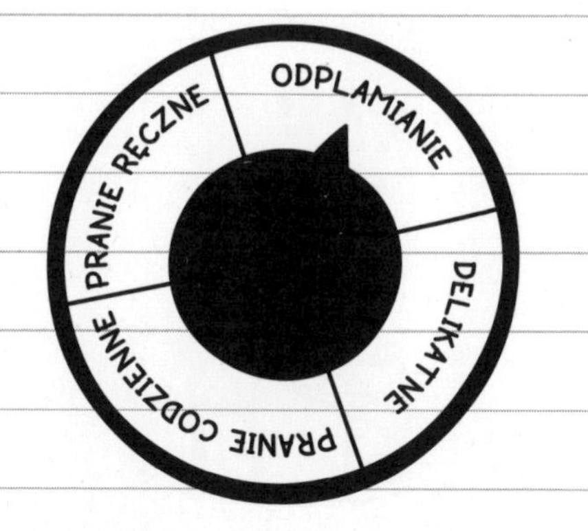

Nagle do pralni wszedł tata z całym koszem brudów i Robbie tak się przeraził, że omal nie wyskoczył ze skóry.

Tata zapytał, po co Robbie tu przyszedł, a on odparł, że pierze swoje ubrania. Wtedy tata oświadczył, że jest dumny z syna, który staje się odpowiedzialnym młodym człowiekiem.

Tej nocy Robbiego dręczyły koszmarne sny. W większości z nich występowały truskawki.

Po przebudzeniu Robbie odkrył, że ma pościel przemoczoną od potu. Wyskoczył z łóżka i od razu pobiegł do pralni, żeby zobaczyć, czy plama zniknęła.

Tam jednak czekał go prawdziwy wstrząs.

Otóż tata uprał swoje eleganckie koszule razem z T-shirtem Robbiego i teraz wszystko było RÓŻOWE.

Robbie doszedł do wniosku, że jedynym wyjściem z sytuacji jest ucieczka z domu. Lecz na szczęście został nakryty przez mamę, zanim sprawy zaszły za daleko.

Przyszła pora wyjawić rodzicom PRAWDĘ. Robbie wyznał, że rożek, który upuścił w galerii handlowej, tak naprawdę kupił DLA SIEBIE. I dodał, że bardzo tego kłamstwa żałuje.

Rodzice Robbiego, którzy ogromnie kochali syna, odparli, że są z niego dumni, ponieważ powiedział prawdę. I oznajmili, że wszyscy popełniamy błędy, a najważniejsze jest to, czego się dzięki nim UCZYMY.

I wyobraźcie sobie, że ci niesamowici rodzice zabrali Robbiego jeszcze raz do galerii, by mogli całą trójką pójść na lody. A Robbie kupił w lodziarni trzy rożki o smaku kamykowym.

Tym razem bardzo uważał, żeby ich nie upuścić.

Niestety zaraz potem wargi taty zamieniły się w dwa balony, bo Robbie zapomniał o jego uczuleniu na migdały. Tata musiał pojechać na pogotowie, gdzie dostał zastrzyk, a to odebrało chłopcu całą radość z lodów.

Po powrocie do domu Robbie zauważył małą brązową plamkę na swojej śnieżnobiałej koszulce i wszystko zaczęło się od nowa.

# mumia

Dawno, dawno temu w starożytnym Egipcie żył sobie faraon o imieniu Mekh. A kiedy umarł, kapłani i kapłanki okręcili jego ciało bandażami, żeby przygotować władcę do życia wiecznego.

Ale parę tysięcy lat później jacyś zagraniczni archeolodzy odkryli piramidę z grobowcem Mekha i zabrali stamtąd sarkofag z faraonem.

Kiedy Mekh się ocknął, był bardzo zły, bo odkrył, że jest w muzeum, nie w żadnych zaświatach. A co gorsza, jego sarkofag postawiono w niewyględnym miejscu.

No więc Mekh był WŚCIEKŁY. A ponieważ był też mumią, użył swoich supermocy, żeby zrobić w muzeum niezły dym.

Ale nawet wtedy, gdy z muzeum nic już nie zostało, Mekh się nie uspokoił. No więc wyszedł na ulicę, gdzie doprowadził do jeszcze WIĘKSZYCH zniszczeń.

Tego wieczoru we wszystkich programach informacyjnych mówiono tylko o mumii, która rozpirza miasto.

Mekh jednak dopiero się rozkręcał. Szedł z miasta do miasta i z kraju do kraju, niszcząc wszystko, co napotkał, i trafiając na nagłówki gazet.

Po jakimś czasie Mekhowi skończyły się rzeczy, które mógłby rozwalać, i zainteresowanie ludzi faraonem osłabło.

KURIER MIEJSKI

**Przecięto wstęgę w nowym parku dla psów!**

Mumia popsuła piniatę na przyjęciu urodzinowym dla dzieci.

Wreszcie Mekh trochę wyluzował. Postanowił się dostosować do życia we współczesnym świecie. I chociaż wolałby życie pozagrobowe, musiał przyznać, że telewizor to świetny wynalazek.

Pewnego wieczoru, oglądając wiadomości, dowiedział się, że archeolodzy dokonali w Egipcie nowego odkrycia. Tym razem znaleźli grobowiec faraona Khaby.

Najpierw Mekh dostał szału, bo to przywołało przykre wspomnienia. Powiedział sobie jednak: „Oddychaj głęboko" i po paru minutach w końcu się uspokoił.

Ludzie byli podekscytowani tym odkryciem, gdyż grobowiec Khaby krył nieprzebrane skarby.

Bardzo się też denerwowali podczas otwierania sarkofagu, ponieważ nikt nie chciał powtórki z Mekha.

Ale tym razem wszystko wyglądało inaczej. Po pierwsze, mumia Khaby była O WIELE lepiej zachowana. Mekh trochę się zirytował, gdy wyciągnięto to w wiadomościach.

A po drugie, gdy Khaba opuścił sarkofag, nie zrobił żadnej demolki. Właściwie to był bardzo zainteresowany nowoczesnym światem.

Zaczął przychodzić do telewizji śniadaniowej i w krótkim czasie stał się ulubioną mumią ludzkości. Mekh nigdy by nie przyznał, że jest o to zazdrosny, ale oczywiście był.

Khaba zrobił się tak popularny, że ludzie zaczęli sprzedawać różne suweniry z faraonem, bezprawnie wykorzystując jego wizerunek.

Dlatego Khaba zatrudnił cwaną prawniczkę i niedługo później cały ten nielegalny biznes został zamknięty. Wtedy jednak prawniczka Khaby zrobiła dla niego coś więcej.

A mianowicie zastrzegła jako znak towarowy nazwę „Mumia", co oznaczało, że odtąd tylko Khaba mógł jej używać. Po czym zwołała konferencję prasową, na której to ogłosiła.

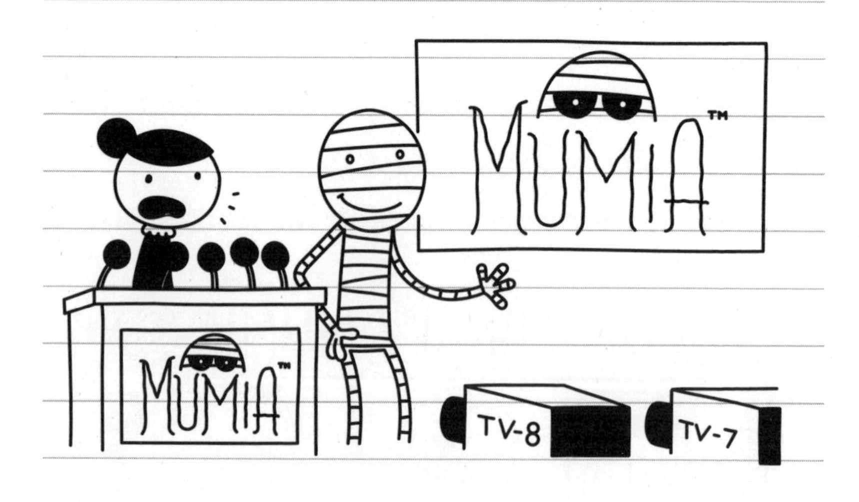


Mekh strasznie się zdenerwował. Uznał, że Khaba bezczelnie go okradł. A tak naprawdę pluł sobie w brodę, że nie wpadł na ten pomysł WCZEŚNIEJ.

Wkrótce potem Khaba wypuścił na rynek własną kolekcję ubrań i płatki śniadaniowe dla dzieci, a nawet nakręcił film. Gdzie tylko Mekh się odwrócił, wyskakiwała na niego wielka gęba Khaby.

Mekh stwierdził, że już pora, by i ON zarobił na mumiomanii. No więc obwołał się „Jedyną Oryginalną Mumią" i zaczął reklamować swoje usługi.

Jednak kilka tygodni później dostał pismo od prawniczki Khaby. Groziła, że go pozwie i zrujnuje, jeśli Jedyna Oryginalna Mumia nie zdejmie swoich reklam.

No a Mekh totalnie się wściekł. Może nie tak bardzo jak wtedy, gdy burzył całe miasta, ale dość konkretnie.

A więc on TEŻ wynajął prawnika i pozwał Khabę o to, że bezprawnie nazywa się Mumią™, ponieważ on, Mekh, zdobył sławę PIERWSZY. Odbył się pasjonujący proces i wszyscy oglądali go w telewizji.

MUMIE WALCZĄ ZE SOBĄ W SĄDZIE

Tyle tylko, że Mekh nie miał mnóstwa pieniędzy, więc jego prawnik nie był tak cwany jak prawniczka Mumii™. A kiedy proces dobiegł końca, sędzia przyznał rację Khabie.

Mekh musiał obiecać, że przestanie używać określeń: Jedyna Oryginalna Mumia, Autentyczna Mumia i tak dalej. Wolno mu było odtąd nazywać się tylko „mumią". Pisaną małymi literami.

Przez pewien czas Mekh rzeczywiście próbował zarabiać na życie jako „mumia" (pisana małymi literami), ale sami rozumiecie, że dużych pieniędzy z tego nie było.

Potem zatrudnił się w parku rozrywki Zgroza i Psychoza, ale ta praca nie dawała mu satysfakcji, bo ludzi coraz trudniej było wystraszyć.

Mekh nadal się jednak nie poddawał. Zaczął używać pseudonimu artystycznego Martwy Faraon, żeby obejść wyrok sądowy, lecz wyszło na jaw, że jest już zawodowy zapaśnik o tym samym imieniu, no i Mekh znowu wylądował w sądzie.

Khaba tymczasem przez parę lat był na topie, jednak ludzie w końcu się nim znudzili i przestali chodzić na filmy o mumiach.

Przerzucił się wtedy z horrorów na komedie familijne, ale wypuścił kilka gniotów i to był koniec jego filmowej kariery.

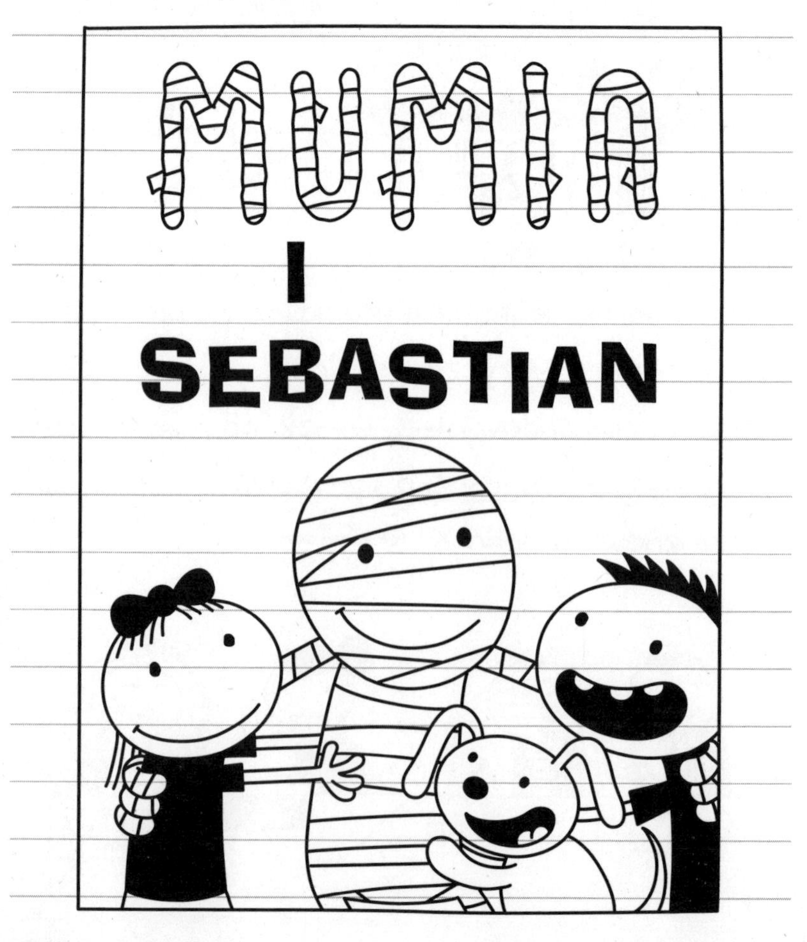

Aż wreszcie ktoś się poskarżył, że znalazł wielki palec u nogi w pudełku Musli Mumii™, i pozwał Khabę o milion dolarów.

I nawet gdy się wydało, że osoba, która go oskarżyła, wyssała to wszystko z palca, nikt nie chciał już kupować produktów Mumii™.

Wkrótce źródło dochodów Khaby zaczęło wysychać. Faraon musiał porzucić wystawny styl życia, do którego był przyzwyczajony. Musiał też sprzedać za bezcen swój prywatny odrzutowiec i trzy rezydencje.

Sytuacja Khaby jeszcze się pogorszyła, gdy odeszła od niego żona i zabrała mu połowę pieniędzy.

Aż wreszcie Khaba sprzedał własny sarkofag i poczuł, że sięgnął dna.

Los jednak się do niego uśmiechnął. Pewnego dnia Khaba wpadł na swojego odwiecznego wroga, który pracował w spożywczym jako pakowacz zakupów.

Dwaj faraonowie wdali się w pogawędkę i odkryli, że znacznie więcej ich łączy, niż dzieli. Zostali przyjaciółmi, a po jakimś czasie Khaba nawet zamieszkał u Mekha.

Żyjąc pod jednym dachem, mumie często sprzeczały się o różne rzeczy, lecz w pewnej kwestii były zgodne. Obie uważały, że telewizor to GENIALNY wynalazek ludzkości.

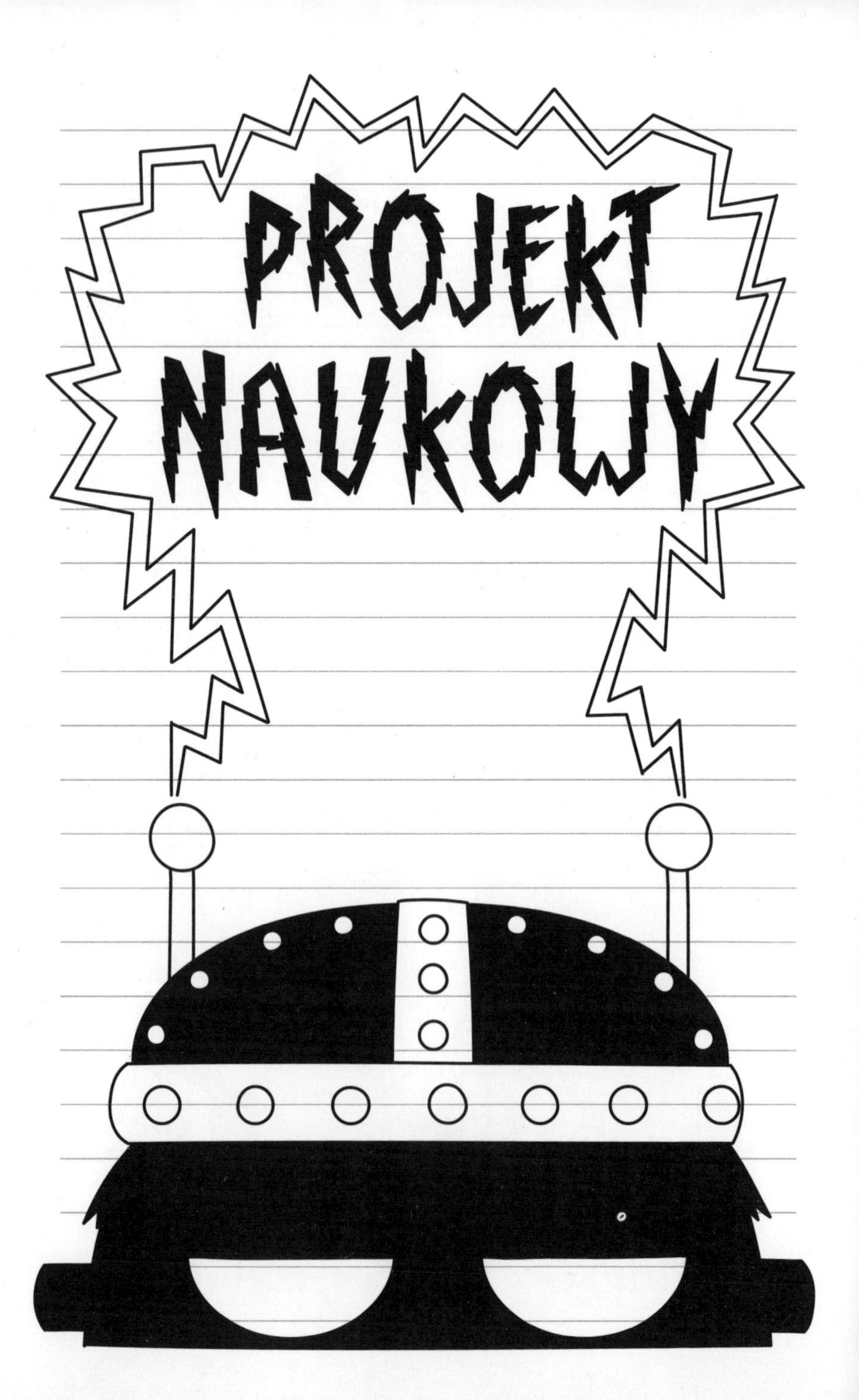
PROJEKT
NAUKOWY

Żył sobie raz chłopiec o imieniu Wiktor. I ten Wiktor nie był szczęśliwy.

Wszystko to działo się dawno temu, w epoce przed telewizją i grami wideo. Dlatego w wolnym czasie Wiktor mógł jedynie CZYTAĆ. A że jego rodzice byli lekarzami, w domu mieli wyłącznie książki o medycynie, biologii i tak dalej.

Wiktor smucił się nie tylko z tego powodu. Otóż mama i tata nie pozwalali mu na żadne zwierzątko. Stwierdzili, że nie jest dość odpowiedzialny, aby zająć się czworonogiem, i że opieka nad nim byłaby ICH obowiązkiem.

I chociaż Wiktor obiecał, że będzie karmił i wyprowadzał swoje zwierzątko na dwór trzy razy dziennie, oni powiedzieli: „Nie".

Jedyną radość w jego życiu stanowiła szkoła. Od czytania książek rodziców dzieciak zrobił się naprawdę bystry i nawet pan od przyrody oświadczył, że Wiktor zdobędzie kiedyś wielki rozgłos, jeśli tylko będzie ciężko na to pracował.

A zatem kiedy w gimnazjum zapowiedziano piknik naukowy, Wiktor nie mógł się go doczekać.

Pracował nad swoim projektem przez cały miesiąc i miał nadzieję, że zdobędzie nagrodę główną.

Ale wygrał kto inny. Lizzie Leggot z projektem na temat wulkanów. Wiktor był pewien, że pomagali jej rodzice.

No więc Lizzie dostała medal za swoje zwycięstwo, a Wiktor za swoje wyróżnienie jakiś żenujący dyplom.

Od tej chwili potrafił myśleć tylko o jednym. O PRZYSZŁOROCZNYM pikniku naukowym. Przeczytał książki rodziców od deski do deski, próbując wpaść na coś oryginalnego, ale nie przychodziło mu do głowy nic, co wyrwałoby publiczność z butów.

Pewnego dnia, gdy spoglądał przez okno na cmentarz za domem, nagle doznał olśnienia. Szczerze mówiąc, jego pomysł był nieźle POKRĘCONY, ale Wiktor wiedział, że jeśli go zrealizuje, Z PEWNOŚCIĄ zajmie pierwsze miejsce.

Odtąd każdej nocy przeprowadzał eksperymenty na strychu. Jego rodzice byli zaniepokojeni tym, jak dużo czasu ich syn spędza samotnie, i trochę żałowali, że nie zgodzili się na zwierzątko.

Rok później znów zorganizowano piknik naukowy i Wiktor przyniósł swój projekt do szkoły.

A jeśli jesteście ciekawi, skąd wziął materiał badawczy, coś wam powiem. Czasem lepiej nie zadawać pytań.

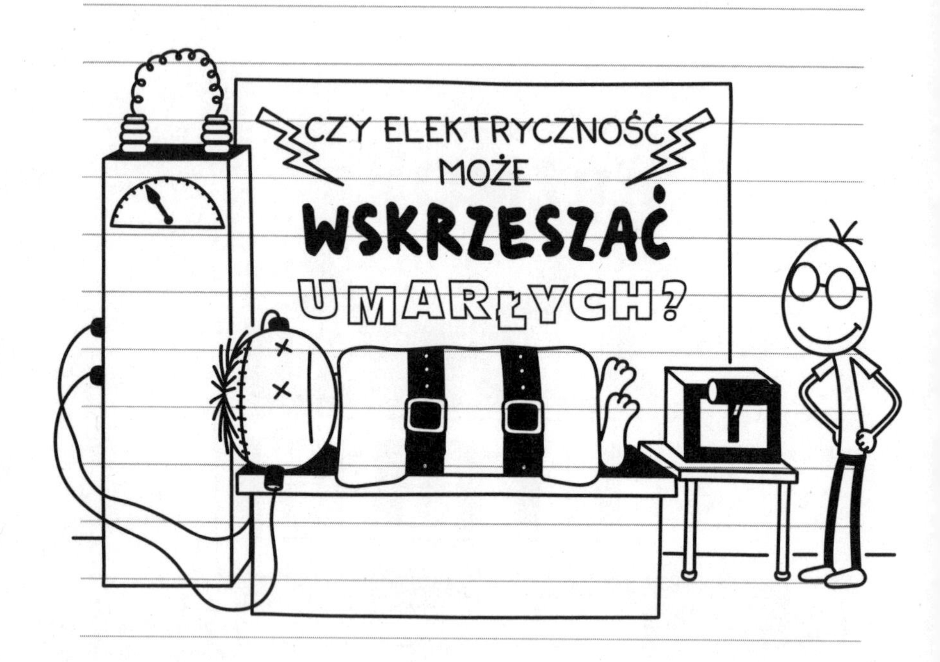


Choć Wiktor ślęczał nad swoim projektem przez cały rok, nadal nie był pewien, czy TO zadziała. Wiedział jedno: jeśli nie zadziała, on drugi rok z rzędu przegra z Lizzie Leggot. Dlatego gdy jurorzy podeszli do jego stanowiska, ze ściśniętym sercem włączył urządzenie.

Ciężka praca została wynagrodzona. Jego twór ożył i tym razem to Wiktor otrzymał medal, a Lizzie musiała się zadowolić głupim wyróżnieniem.

W drodze do domu Wiktor napawał się zwycięstwem. Ale wiedział, że jednej rzeczy nie przemyślał. Co zrobi ze swoim projektem TERAZ, gdy piknik naukowy się skończył.

Doszedł do wniosku, że najlepiej będzie zostawić go na cmentarzu. Tylko że projekt nie zrozumiał aluzji.

W końcu Wiktor podniósł z ziemi patyk i przerzucił go nad cmentarną bramą. Lecz projekt uznał, że to ZABAWA, i zaczął aportować.

A wtedy Wiktor też zaczął ZNAKOMICIE się bawić. Spędził ze swoim projektem pół dnia na dworze, a także odkrył, że projekt najbardziej lubi drapanie po brzuszku.

Wiktor pochwalił się rodzicom, że zdobył pierwszą nagrodę, a oni byli bardzo dumni z syna. I choć mieli pewne obawy związane z jego materiałem badawczym, wiedzieli, że czasem lepiej nie zadawać pytań.

Chłopiec powiedział, że chciałby zatrzymać swój projekt jako zwierzątko domowe, a gdy obiecał, że będzie go karmił i wyprowadzał na dwór trzy razy dziennie, oni wreszcie powiedzieli: „Tak".

Wiktor i jego zwierzątko zostali najlepszymi przyjaciółmi. Byli praktycznie nierozłączni.

Wiktor zdobył też sławę, tak jak to przewidział pan od przyrody, i ciągle pisały o nim gazety.

WIKTOR FRANKENSTEIN DOKONUJE PRZEŁOMU W NANOTECHNOLOGII

Z każdym rokiem Wiktor stawał się starszy, lecz jego zwierzątko nie. Aż pewnego dnia doktor Frankenstein wydał ostatnie tchnienie z wiernym przyjacielem u boku.

Z upływem lat ludzie zapomnieli o Wiktorze Frankensteinie, ale wciąż pamiętali o jego zwierzaku. Nazywali go często „potworem Frankensteina", a w skrócie po prostu „Frankensteinem". To mu nie przeszkadzało, chociaż tęsknił wtedy jeszcze bardziej za swoim starym przyjacielem.

Frankenstein nie wiedział, co ma zrobić z całym tym wolnym czasem po odejściu Wiktora, ale wiedział jedno. Bez edukacji do niczego się w życiu nie dojdzie. Dlatego poszedł do szkoły i zapisał się do pierwszej klasy.

Górował wzrostem nad innymi dziećmi, lecz one traktowały go tak, jakby był jednym z nich.

Frankenstein okazał się bardzo pojętny i nawet przeskoczył kilka klas. W gimnazjum wziął udział w pikniku naukowym i zajął pierwsze miejsce, jak niegdyś jego przyjaciel Wiktor. A jeśli się zastanawiacie, gdzie zdobył materiał badawczy, coś wam powiem. Czasem lepiej nie zadawać pytań.

# SZAFKA NA LEKI

Ryan był chłopcem ciekawym świata. Myszkował po wszystkich zakamarkach domu. I choć czasem zapuszczał się tam, gdzie nie wolno mu było wchodzić, jego rodzice nigdy się o to nie gniewali.

Najbardziej lubił grzebać w łazience mamy i taty, bo w szufladach pod umywalką było mnóstwo interesujących rzeczy.

Czasem Ryan brał lakier do włosów mamy i robił sobie irokeza, a czasem brał piankę do golenia taty i robił sobie brodę.

Niekiedy smarował się też balsamem do ciała, żeby mieć jedwabistą skórę. A innym razem cały oblepił się plastrami, po prostu dlatego, że mógł.

Rodzice Ryana byli zadowoleni z tego, że mają takiego dociekliwego syna, i nigdy się nie wściekali, kiedy przeprowadzał różne eksperymenty w ich łazience. Zabronili mu tylko JEDNEGO. Zaglądać do szafki na leki.

A jeśli teraz sobie myślicie: „Ej, ale to już było w opowiadaniu o piwnicy", nie macie racji, bo ta historia jest o czymś zupełnie innym.

W każdym razie coś wam teraz zdradzę. Jednej rzeczy nie powinno się mówić żadnemu dociekliwemu dziecku. Tego, gdzie ma NIE zaglądać. Bo jeszcze tej samej nocy Ryan poczekał, aż rodzice zasną, po czym wślizgnął się do ich łazienki.

Otworzył drzwiczki szafki na lekarstwa. Spodziewał się, że zobaczy coś niezwykłego, lecz ku swemu rozczarowaniu ujrzał tylko pęsetkę, obcinacz do paznokci, waciki kosmetyczne i podkład do twarzy.

Ryan poczuł się zawiedziony, ale postanowił użyć obcinacza, żeby skrócić paznokcie, bo dawno tego nie robił. A potem dla zgrywy rozmazał sobie po policzkach trochę podkładu do twarzy.

Nagle odkrył, że zużył cały podkład i że buteleczka jest pusta. Nie chciał jednak wyrzucać jej do śmieci, bo wtedy rodzice odkryliby, że ich nie posłuchał.

Dlatego postawił buteleczkę z powrotem w szafce i zamknął drzwiczki. Po czym wykradł się z łazienki, przemknął obok łóżka rodziców i wrócił do swojego pokoju.

Gdy rano Ryan się obudził, poczuł zapach bekonu i jajek smażonych w kuchni przez mamę. Wszedł do łazienki rodziców, żeby umyć tam zęby, jak to miał w zwyczaju. Lecz kiedy spojrzał w lustro, stwierdził, że coś się ZMIENIŁO.

Jego włosy były teraz o kilka odcieni jaśniejsze. Takie, jakie miał w przedszkolu. I znowu był piegowaty! Ale najbardziej zdziwiło Ryana to, że jego głowa wyraźnie się zmniejszyła.

Trochę podenerwowany, otworzył drzwiczki szafki na leki i przyjrzał się dokładniej buteleczce z podkładem. A kiedy przeczytał napis na naklejce, ogarnęło go PRZERAŻENIE.

W tej samej chwili mama zawołała z kuchni, że podano do stołu. Ryan nie chciał, aby rodzice zobaczyli go w takim stanie, boby się domyślili, że szperał w szafce z lekami. Dlatego usiadł do śniadania z kapturem od bluzy naciągniętym na głowę.

Zawsze gdy rano wychodził z domu, mama dawała mu buziaka. Ale tym razem nie zdążyła, ponieważ wybiegł jak oparzony.

W drodze do szkoły Ryanowi kręciło się w głowie. W pewnym momencie rzucił okiem na swoje odbicie w wystawie sklepowej, ale od razu tego POŻAŁOWAŁ. Bo teraz wyglądał jeszcze młodziej.

Niewiele myśląc, znów naciągnął kaptur na głowę. Postanowił go nie zdejmować aż do ostatniego dzwonka.

Lecz nauczycielka Ryana, pani Pickler, nie pozwalała na takie zachowanie w klasie.

Ryan miał nadzieję, że koledzy nic nie zauważą. Ale dzieciaki zawsze wyłapują takie rzeczy.

Tylko pani Pickler zachowała niewzruszoną minę. Wezwała chłopca do siebie, po czym wręczyła mu małe zawiniątko i powiedziała, żeby poszedł z nim do łazienki.

Kiedy Ryan otworzył paczuszkę w toalecie, zobaczył kostkę mydła i instrukcję obsługi.

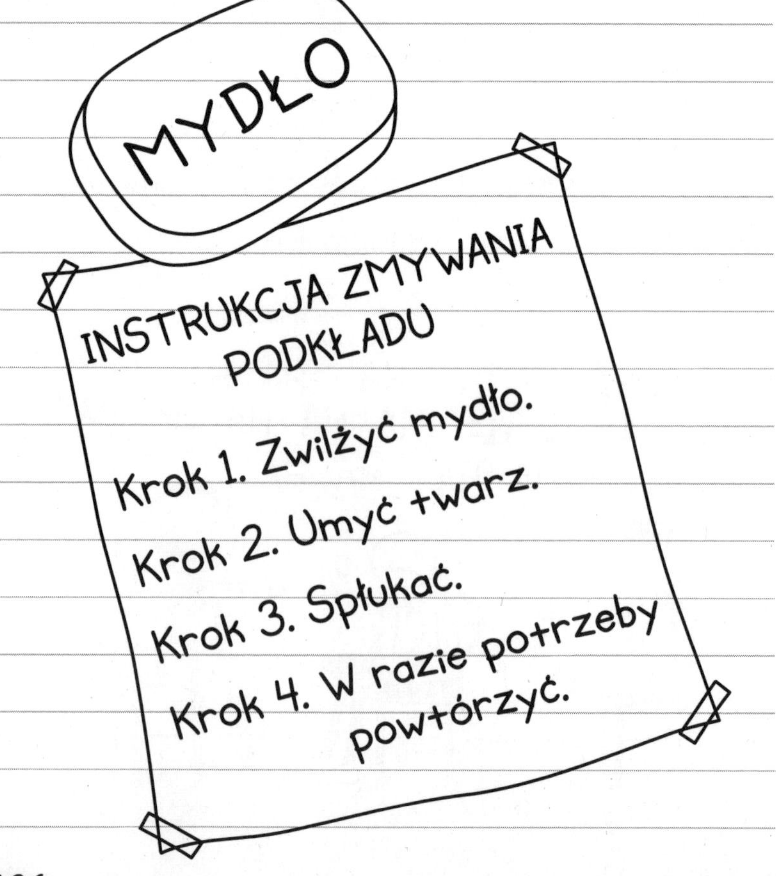

Ryan strasznie się ucieszył, że pani Pickler ma doświadczenie w tego typu sprawach. Postąpił zgodnie z instrukcją i parę razy powtórzył wszystkie kroki, zanim pozbył się resztek podkładu.

Tajna receptura pani Pickler zatrzymała proces młodnienia, lecz niestety nie przywróciła mu poprzedniego wyglądu.

W drodze do domu Ryan zrozumiał, że będzie musiał wyznać rodzicom prawdę. Gdy jednak dotarł na miejsce, zastał w kuchni parę nieznajomych staruszków.

Jak na jeden dzień tego było już za wiele i Ryan totalnie się załamał.

Ale zaraz się okazało, że ci staruszkowie są jego RODZICAMI. Obiecali, że mu to wytłumaczą, i poprosili, by usiadł.

Wyjaśnili, że doczekali się dziecka dopiero w dojrzałym wieku, więc używali odmładzającego podkładu do twarzy, bo nie chcieli wyglądać starzej niż INNI rodzice.

Ryan zapytał, ile właściwie mają lat, na co oni odparli, że sto czternaście i sto dwanaście. Czyli naprawdę nie byli już najmłodsi, ale chłopiec nic nie powiedział, żeby nie zranić ich uczuć.

Mama i tata oznajmili, że teraz, gdy cały podkład został wypaćkany, już zawsze będą wyglądać staro. Ryan jednak odparł, że NIEWAŻNE, jak wyglądają, bo on ich kocha bez względu na wszystko.

I odtąd żyli długo i szczęśliwie. Czasem ludzie rzucali im dziwne spojrzenia, ale oni nic sobie z tego nie robili, ponieważ mieli siebie i tylko to się liczyło.

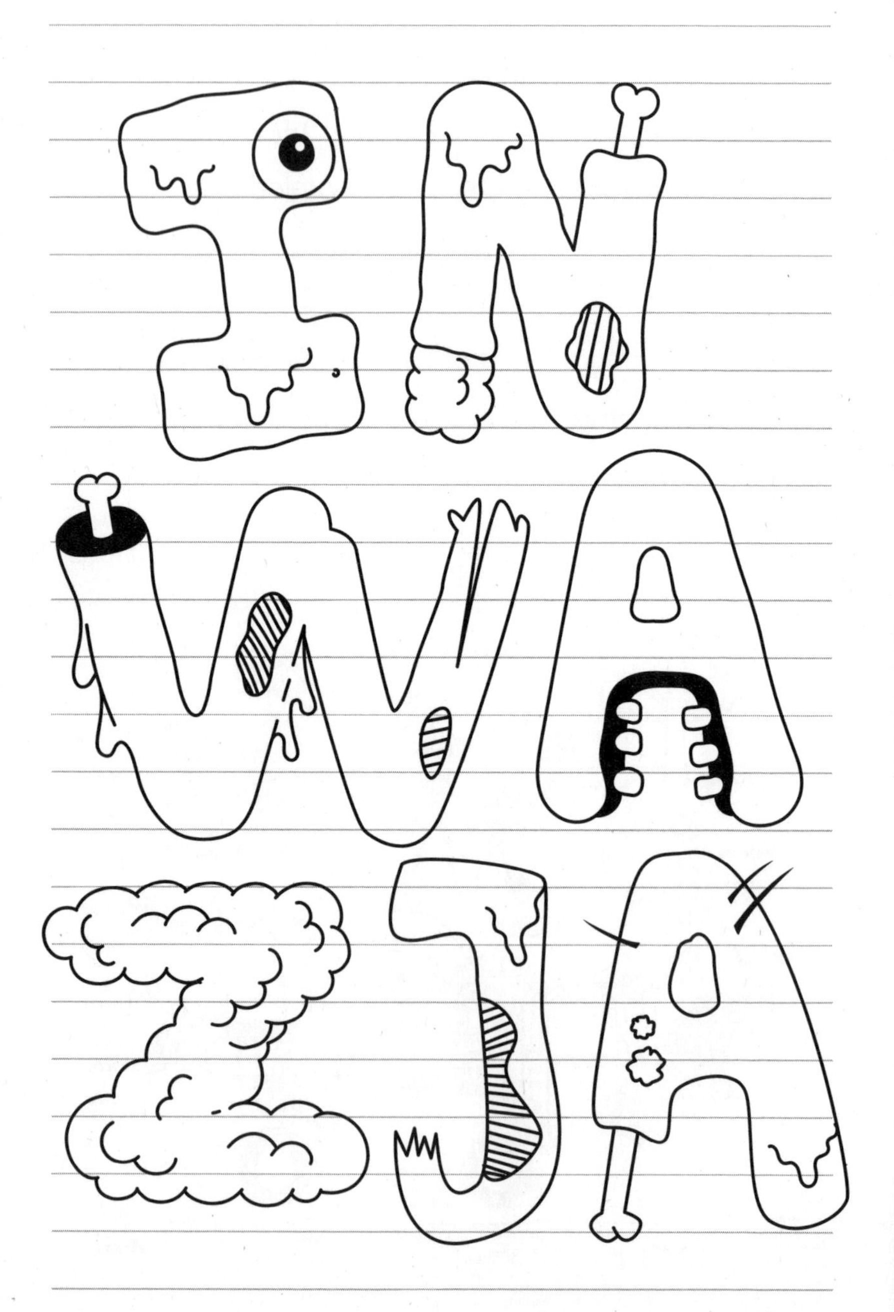
INWAZJA

Mieszkańcy Fairview należeli do najszczęśliwszych przedstawicieli rodzaju ludzkiego. Żyli sobie w pięknym i czystym mieście, w którym każdy uprzejmie odnosił się do sąsiadów.

Pewnego dnia usłyszeli w wiadomościach o inwazji zombiaków gdzieś na drugiej półkuli.

Ale tamto miasto znajdowało się bardzo daleko, więc mieszkańcy Fairview po prostu wrócili do swoich codziennych zajęć. I nawet gdy inwazja zombiaków zaczęła się rozprzestrzeniać, nie poświęcali jej wiele uwagi, ponieważ nie wierzyli, że coś tak okropnego może nastąpić w miejscu tak uroczym jak Fairview.

Gdy jednak zostało zaatakowane miasto sąsiadujące z Fairview, nikt nie mógł dłużej udawać, że wszystko jest w porządku.

Burmistrz zorganizował spotkanie z ludnością, żeby każdy miał szansę zabrać głos w dyskusji.

Wojskowi chcieli załatwić zombiaki swoją superbronią. Ale ktoś wtrącił, że to nic nie da, bo one już są martwe.

Naukowcy chcieli zbudować wokół miasta ogromne pole siłowe, które powstrzymałoby inwazję. I choć ich pomysł był ekstra, wszyscy się zgodzili, że wynalezienie takiego cudeńka zajmie za dużo czasu.

Wtedy ktoś powiedział, że zombiaki nie chcą niczego oprócz mózgów, więc może po prostu trzeba nakarmić je naukowcami. I ten pomysł też się spodobał. Chociaż nie naukowcom.

Gdy burmistrz wysłuchał zebranych, przedstawił swój własny plan.

Oświadczył, że każde miasto, które próbowało odeprzeć atak, poniosło klęskę, i że nie da się powstrzymać inwazji.

A jego plan polegał na tym, żeby WPUŚCIĆ zombiaki do Fairview.

W pierwszej chwili wszyscy pomyśleli, że to najgłupszy pomysł wszech czasów. Potem jednak burmistrz przeszedł do konkretów.

Oznajmił, że skoro zombiaki mają bzika na punkcie mózgów, można wziąć plastikowe foremki i zrobić SZTUCZNE mózgi z takiego choćby tofu.

Ludzie dalej uważali, że to zupełny idiotyzm, ale nie mieli lepszych pomysłów. Dlatego kilka dni później, gdy zombiaki w końcu wdarły się do Fairview, byli przygotowani.

Zombiaki nieco się zdziwiły tym gościnnym przyjęciem, bo dotąd ludzie raczej stawiali opór.

To jednak w sumie nie robiło im żadnej różnicy, gdyż w głowie miały tylko jedno.

Wtedy na znak burmistrza nadjechały food trucki.

I wiecie co? Zombiakom mózgi z tofu wchodziły równie dobrze jak te PRAWDZIWE. Czyli od samego początku zależało im na KSZTAŁCIE, a nie na smaku. Zupełnie jak dzieciom, które zjedzą wszystko, co ma kształt dinozaura.

Gdyby ktoś wpadł na to wcześniej, pewnie dałoby się zażegnać wiele przykrych konfliktów.

Zombiaki polubiły tofumózgi tak bardzo, że postanowiły zostać w Fairview na zawsze. A ludzie nie mieli nic przeciwko temu. Byli zadowoleni, że to nie ONI są zjadani.

Po pewnym czasie życie zaczęło się toczyć swoim zwykłym torem. Wszystko wyglądało jak dawniej, pomijając zombiaki.

Stosunki sąsiedzkie w Fairview układały się znakomicie. Wiele zombiaków znalazło sobie tu pracę, a potem kupiło dom.

Ludzie i zombiaki zrozumieli, że dużo ich łączy. Rodziny z dziećmi zaczęły się nawet spotykać w domach i na placach zabaw.

Małe zombiątka poszły do szkoły, w której uczyły się ludzkiej mowy. Dzieci z kolei uczyły się zombiackiego, który nie był szczególnie trudny.

Aż w końcu ludzie odkryli, że im TEŻ smakuje jedzenie w kształcie mózgu. I niedługo później wszędzie wyrosły bary szybkiej obsługi.

Zombiaki zaczęły obejmować ważne stanowiska i Fairview wkrótce się doczekało pierwszej zombiaczki w ratuszu.

Mieszkańcy Fairview wiedli wspaniałe życie. Lecz pewnego dnia słońce przesłonił cień i nad miastem zawisł olbrzymi latający spodek.

Z początku wszyscy wpadli w panikę, bo nikt nie wiedział, co tu robią kosmici. A wtedy nowa burmistrzyni zwołała naradę, żeby każdy mógł się wypowiedzieć.

Wojskowi oświadczyli, że trzeba użyć broni i strącić z nieba latający spodek. Wielu osobom ten pomysł się spodobał.

Lecz naukowcy odparli, że kosmici na pewno mają jeszcze lepszą broń, dlatego walka jest bezcelowa. Oznajmili, że wokół miasta trzeba zbudować ogromne pole siłowe.

No a potem wybuchła sprzeczka i zrobiło się trochę nerwowo.

Musiała interweniować burmistrzyni, która uspokoiła wzburzone nastroje, a następnie wygłosiła przemówienie.

Przypomniała, jak Fairview chciało odizolować się od zombiaków i jak dobrze żyje się teraz w społeczności, w której jedni mieszkają obok drugich.

Dodała, że Fairview jest wystarczająco duże dla WSZYSTKICH i że najrozsądniej będzie po prostu wpuścić kosmitów do miasta.

Mieszkańcy byli pod wielkim wrażeniem jej płomiennej mowy i poparli ten pomysł. A już nazajutrz z wszelkimi honorami powitali obcych.

Ale wiecie co? Są dwa rodzaje kosmitów. Ci dobrzy i ci źli. A to akurat – pechowo dla mieszkańców Fairview – byli ŹLI kosmici.

Trochę się zdziwili, gdyż dotąd ludzkość stawiała większy opór. Ale w sumie to byli zadowoleni, że inwazja przebiega tak gładko.

Po pewnym czasie życie zaczęło się toczyć swoim zwykłym torem. Wszystko wyglądało jak dawniej, pomijając kosmitów.

I chociaż obcy zmietli z powierzchni ziemi i ludzi, i zombiaki, zachowali sieć barów szybkiej obsługi. Bo smakowały im tofumózgi.

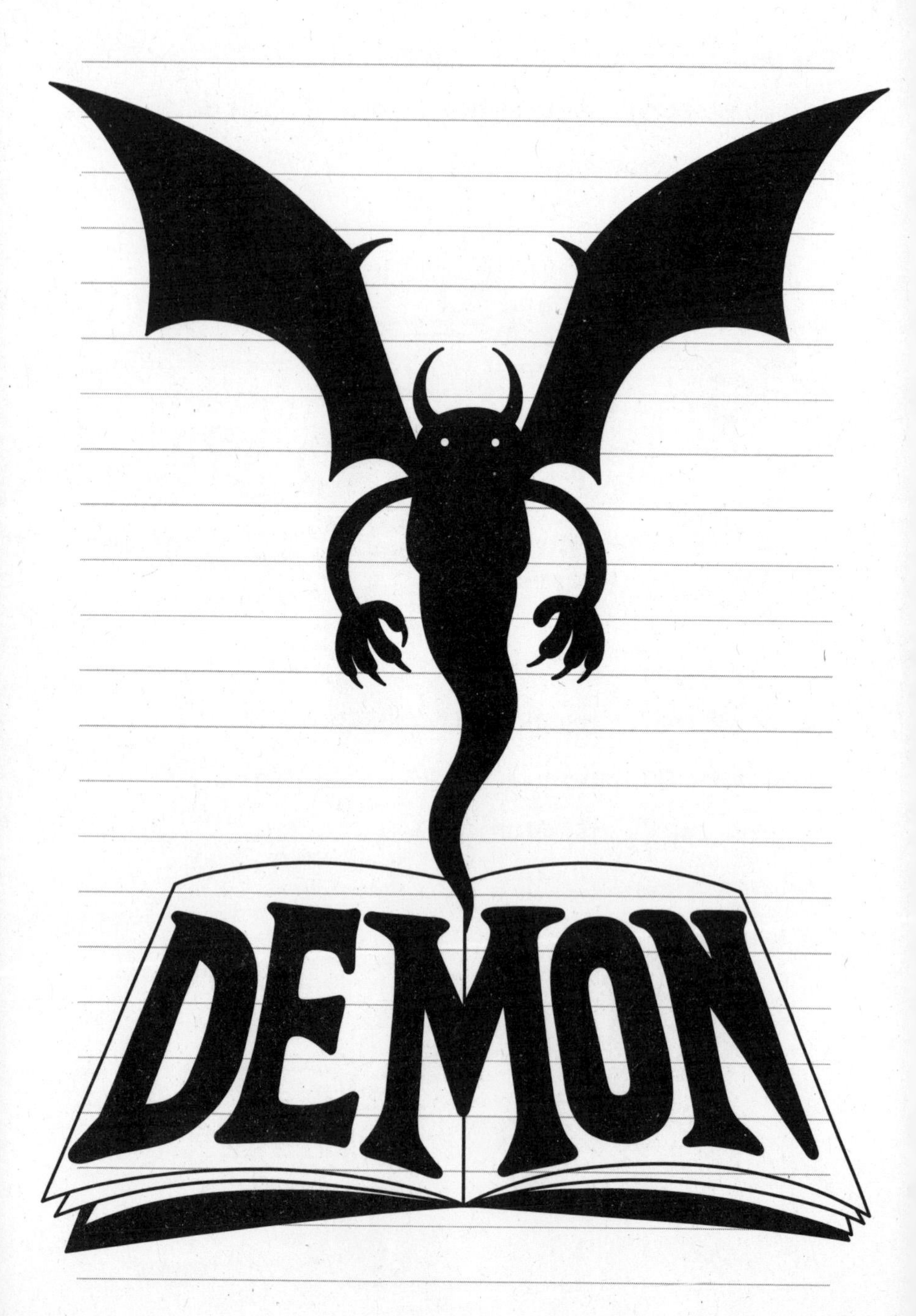
DEMON

No dobrze, może niektóre historyjki w tej książce nie są zupełnie prawdziwe, ale macie moje słowo, że TO zdarzyło się NAPRAWDĘ. Wiem, o czym mówię, bo zdarzyło się MNIE.

A konkretnie mnie ORAZ mojemu najlepszemu przyjacielowi Gregowi Heffleyowi. Tylko że on pewnie nie pamięta szczegółów, więc musicie uwierzyć mi na SŁOWO.

Któregoś dnia wakacji Greg miał u mnie spać. I to była wielka sprawa, bo odkąd w środku nocy wykradliśmy się razem z domu, moi rodzice nie chcieli słyszeć o powtórce.

Tata kazał nam obiecać, że położymy się przed dziesiątą. Ja nie miałem nic przeciwko temu, bo i tak o dziewiątej trzydzieści robię się strasznie śpiący.

O siódmej mama przyszła do nas z wielkim pudłem przyborów plastycznych, żebyśmy mieli się czym zająć. A ja niesamowicie się ucieszyłem na widok dwóch nowiutkich buteleczek z klejem brokatowym.

Ale kiedy zostaliśmy sami, Greg oświadczył, że takie rzeczy są dobre dla dzieci, a my potrzebujemy się ZABAWIĆ. Co mnie trochę zmartwiło, bo naprawdę chciałem użyć tego kleju z brokatem.

Wtedy Greg wyciągnął coś ze swojej torby. To coś wyglądało na straszny film, a on wyjaśnił od razu, że wykradł go z pokoju swojego starszego brata.

Powiedziałem, że MNIE film Rodricka wydaje się trochę ZBYT straszny i że może obejrzymy jakiś inny. Na przykład ten, który niedawno dostałem od mamy i taty.

Greg jednak stwierdził, że nie jesteśmy w szkole, i włożył płytę do odtwarzacza.

No a ja zaraz pożałowałem, że nie poprzestaliśmy na pudle z przyborami, bo film okazał się PRZERAŻAJĄCY. To była historia o jakichś nastolatkach, które znajdują księgę ze starożytnym pismem i z okropnymi obrazkami.

A potem jeden dzieciak czyta na głos to, co tam jest napisane, i uwalnia z księgi DEMONA.

A jeszcze później demon WSTĘPUJE w tego chłopaka, który zyskuje mroczne moce.

No i nie pytajcie, jak to się skończyło, bo w połowie filmu zmusiłem Grega, żeby go wyłączył.

Myślałem, że Greg zacznie mi wymyślać od beks i cykorów, ale on stwierdził, że film był beznadziejny i że wszystkie efekty specjalne LEŻAŁY. Po czym dodał, że scenariusz też nie miał żadnego sensu, bo niby skąd ten nastolatek wiedział, jak przeczytać napis w starożytnym języku.

Mnie tam efekty specjalne wydały się naprawdę UPIORNE. Ale Greg miał chyba rację z tym starożytnym językiem.

Spytałem go, czy w prawdziwym życiu człowiek mógłby zostać opętany przez demona, a on na to, że w żadnym razie.

Zaproponował, że mi to UDOWODNI, i zaczął recytować te same wyrazy, które wypowiedziały tamte dzieciaki z filmu.

W pierwszej chwili nic się nie wydarzyło i pomyślałem, że ten film chyba faktycznie był głupi. Ale wtedy Greg dostał jakichś drgawek, a kiedy otworzył oczy, wyglądał JAK NIE ON.

I w ten oto sposób mój najlepszy przyjaciel został opętany przez DEMONA. A ja pomyślałem, że jeśli rodzice się dowiedzą, już nigdy nie pozwolą mu u mnie zanocować.

Miałem nadzieję, że demon w końcu odpuści i Greg stanie się dawnym Gregiem, ale nic takiego nie nastąpiło. Co gorsza, zły duch zrobił potworny bałagan na półkach, na których ja i mama sprzątaliśmy przez całe popołudnie.

Chwilę później demon zauważył przybory plastyczne i zanim zdążyłem cokolwiek zrobić, totalnie ZASZALAŁ z klejem brokatowym.

Zdemolował całą piwnicę, po czym pobiegł na górę. Wyraźnie czułem, że ma nadludzką siłę czy coś, bo za nic nie mogłem go zatrzymać.

A jeśli myślicie, że okropnie nabałaganił w piwnicy, powinniście zobaczyć, co nawyprawiał w KUCHNI.

Wystraszyłem się, że hałas obudzi rodziców, którzy śpią dokładnie nad kuchnią. I zrozumiałem, że muszę działać SZYBKO.

Szkoda tylko, że nie obejrzałem tego filmu do końca, bo wiedziałbym, w jaki sposób pokonuje się demony.

Ale nie zszedłem z powrotem do piwnicy, żeby włączyć film, ponieważ nie mogłem zostawić demona samego. Wtedy na blacie kuchennym zobaczyłem laptopa mojej mamy i zacząłem szukać w necie jakichś podpowiedzi. Tylko że nie wyskoczyło mi nic konkretnego i wyglądało na to, że potrzebuję PROFESJONALISTY.

SZUKAJ: jak pokonać demona

OKOŁO 2 432 217 WYNIKÓW

Nałożenie rąk

Rytuał odprawiony przez duchownego

Pokropienie wodą święconą

Okadzenie ziołami

REKLAMA: Znajdź egzorcystę w swojej okolicy!

Jedna ze stron doradzała w takich wypadkach wodę święconą, ale już dochodziła dziesiąta, więc kościół na pewno był zamknięty.

Tymczasem demon powyciągał wszystko z szafek, a potem rzucił się na MNIE. No a trudno zachowywać się cicho, gdy goni człowieka duch nieczysty i wali do niego jajkami.

Na szczęście demon poślizgnął się w końcu na rozsypanym proszku do pieczenia, dzięki czemu zyskałem trochę czasu. Zdołałem jakoś dobiec do łazienki i zablokować drzwi.

Nie chciałem, żeby demon domyślił się, gdzie jestem, więc zgasiłem światło i siedziałem po ciemku cicho jak mysz pod miotłą. Ale demony mają chyba nadludzki węch czy coś, bo już po chwili zostałem wyniuchany.

Bałem się, że zionie ogniem i spali drzwi łazienki, lecz nagle wszystko ucichło, co przeraziło mnie jeszcze BARDZIEJ.

A wtedy usłyszałem chrobot dochodzący z klamki.

To demon obczaił, w jaki sposób otworzyć zamek spinaczem do papieru.

Zanim się obejrzałem, on już wchodził do środka. Miałem do obrony tylko szczotkę klozetową, więc zanurzyłem ją w muszli i pochlapałem go wodą.

Jak widzicie, nie trzeba wody święconej, żeby pokonać demona, wystarczy taka zwyczajna. Bo chwilę później Greg stał się znowu sobą.

Zła wiadomość jest taka, że hałas obudził rodziców, a oni odesłali Grega do domu. Ale nic się nie stało, ponieważ jak wam mówiłem, o dziewiątej trzydzieści i tak zaczynam być śpiący.

# TYLKO NIE MÓWCIE, ŻE WAS NIE OSTRZEGAŁEM!

Ojej. Zaczynam żałować, że napisałem te wszystkie straszne historyjki, bo teraz nawet JA trochę się boję. No i chyba nie powinienem był podawać słów, które przywołują demona. Kto wie, co z tego wyniknie.

Ale i tak pokażę swoją książkę Gregowi. Coś czuję, że JEMU się spodoba.